Le Séminaire

Livre XX

JACQUES LACAN
AU CHAMP FREUDIEN

De la psychose paranoïaque
dans ses rapports avec la personnalité
suivi de Premiers Écrits sur la paranoïa
*
Écrits
*
Télévision
*
Le Séminaire de Jacques Lacan
texte établi par Jacques-Alain Miller

Livre I
Les Écrits techniques de Freud

Livre II
Le Moi dans la théorie de Freud
et dans la technique de la psychanalyse

Livre III
Les Psychoses

Livre IV
La Relation d'objet

Livre V
Les Formations de l'inconscient

Livre VII
L'Éthique de la psychanalyse

Livre VIII
Le Transfert

Livre XI
Les Quatre Concepts fondamentaux de la psychanalyse

Livre XVII
L'Envers de la psychanalyse

Livre XX
Encore
*
L'intégralité des *Écrits* est parue, en deux volumes,
dans la collection « Points Essais »,
ainsi que *De la psychose paranoïaque
dans ses rapports avec la personnalité*,
Les Quatre Concepts fondamentaux de la psychanalyse,
et *Les Écrits techniques de Freud*

Le Séminaire

de Jacques Lacan

Texte établi par
Jacques-Alain Miller

Éditions du Seuil

La première édition de cet ouvrage
a paru dans la collection « Le champ freudien »
en 1975

TEXTE INTÉGRAL

ISBN 2-02-38577-5
(ISBN 2-02-002769-0, 1ʳᵉ publication)

© Éditions du Seuil, janvier 1975

Livre XX

Encore

1972-1973

I

DE LA JOUISSANCE

Il m'est arrivé de ne pas publier *L'Éthique de la psychanalyse*. En ce temps-là, c'était chez moi une forme de la politesse – après vous j'vous en prie, j'vous en *pire*... Avec le temps, j'ai appris que je pouvais en dire un peu plus. Et puis, je me suis aperçu que ce qui constituait mon cheminement était de l'ordre du *je n'en veux rien savoir*.

C'est sans doute ce qui, avec le temps, fait qu'*encore* je suis là, et que vous aussi, vous êtes là. Je m'en étonne toujours... *encore*.

Ce qui, depuis quelque temps, me favorise, c'est qu'il y a aussi chez vous, dans la grande masse de ceux qui sont là, un *je n'en veux rien savoir*. Seulement, tout est là, est-ce bien le même ?

Votre *je n'en veux rien savoir* d'un certain savoir qui vous est transmis par bribes, est-ce de cela qu'il s'agit chez moi ? Je ne crois pas, et c'est bien de me supposer partir d'ailleurs que vous dans ce *je n'en veux rien savoir* que vous vous trouvez liés à moi. De sorte que, s'il est vrai qu'à votre égard je ne puis être ici qu'en position d'analysant de mon *je n'en veux rien savoir*, d'ici que vous atteigniez le même il y aura une paye.

C'est bien ce qui fait que c'est seulement quand le vôtre vous apparaît suffisant que vous pouvez, si vous êtes de mes analysants, vous détacher normalement de votre analyse. J'en conclus qu'il n'y a, contrairement à ce qui s'émet, nulle impasse de ma position d'analyste avec ce que je fais ici.

1

L'année dernière, j'ai intitulé ce que je croyais pouvoir vous dire – ... *ou pire*, puis – *Ça s'oupire*. Ça n'a rien à faire avec *je* ou *tu* – je ne t'oupire pas, ni tu ne m'oupires. Notre chemin, celui du discours analytique, ne progresse que de cette limite étroite, de ce tranchant du couteau, qui fait qu'ailleurs ça ne peut que s'oupirer.

C'est ce discours qui me supporte, et pour le recommencer cette année, je vais d'abord vous supposer au lit, un lit de plein emploi, à deux.

A quelqu'un, un juriste, qui avait bien voulu s'enquérir de ce qu'est mon discours, j'ai cru pouvoir répondre – pour lui faire sentir, à lui, ce qui en est le fondement, à savoir que le langage n'est pas l'être parlant – que je ne me trouvais pas déplacé d'avoir à parler dans une faculté de droit, puisque c'est celle où l'existence des codes rend manifeste que le langage, ça se tient là, à part, constitué au cours des âges, tandis que l'être parlant, ce qu'on appelle les hommes, c'est bien autre chose. Alors, commencer par vous supposer au lit, cela demande qu'à son endroit je m'en excuse.

Je n'en décollerai pas, de ce lit, aujourd'hui, et rappellerai au juriste que, au fond, le droit parle de ce dont je vais vous parler – la jouissance.

Le droit ne méconnaît pas le lit – prenez par exemple ce bon droit coutumier dont se fonde l'usage du concubinat, ce qui veut dire coucher ensemble. Pour ma part, je vais partir de ce qui, dans le droit, reste voilé, à savoir de ce qu'on y fait, dans ce lit – s'étreindre. Je pars de la limite, d'une limite dont en effet il faut partir pour être sérieux, c'est-à-dire pour établir la série de ce qui s'en approche.

J'éclaircirai d'un mot le rapport du droit et de la jouissance. L'usufruit – c'est une notion de droit, n'est-ce pas ? – réunit en un mot ce que j'ai déjà évoqué dans mon séminaire sur l'éthique, à savoir la différence qu'il y a de l'utile à la jouissance. L'utile, ça sert à quoi? C'est ce qui n'a jamais été bien défini en raison du respect prodigieux que, du fait du langage, l'être parlant a pour le moyen. L'usufruit veut dire qu'on peut jouir de ses moyens, mais qu'il ne faut pas les gaspiller. Quand on a l'usufruit d'un héritage, on peut en jouir à condition de ne pas trop en user. C'est bien là qu'est l'essence du droit – répartir, distribuer, rétribuer ce qu'il en est de la jouissance.

Qu'est-ce que c'est que la jouissance? Elle se réduit ici à n'être qu'une instance négative. La jouissance, c'est ce qui ne sert à rien.

Je pointe là la réserve qu'implique le champ du droit-à-la-jouissance. Le droit n'est pas le devoir. Rien ne force personne à jouir, sauf le surmoi. Le surmoi, c'est l'impératif de la jouissance – *Jouis!*

C'est bien là que se trouve le point tournant qu'interroge le discours analytique. Sur ce chemin, dans ce temps de l'*après-vous* que j'ai laissé passer, j'ai essayé de montrer que l'analyse ne nous permettait pas de nous en tenir à ce dont j'étais parti, respectueusement certes, soit à l'éthique d'Aristote. Un glissement au cours des âges s'est fait, glissement qui n'est pas progrès, mais contour, qui, de la considération de l'être qui était celle d'Aristote, a conduit à l'utilitarisme de Bentham, c'est-à-dire à la théorie des fictions, démontrant du langage la valeur d'usage, soit le statut d'outil. C'est de là que je suis revenu à interroger ce qu'il en est de l'être, du souverain bien comme objet de contemplation, d'où on avait cru jadis pouvoir édifier une éthique.

Je vous laisse donc sur ce lit, à vos inspirations. Je sors, et une fois de plus, j'écrirai sur la porte, afin qu'à la sortie, peut-être, vous puissiez ressaisir les rêves que vous aurez sur ce lit poursuivis. J'écrirai la phrase suivante – *La jouissance de l'Autre,* de l'Autre avec un grand A, *du corps de l'Autre qui le symbolise, n'est pas le signe de l'amour.*

2

J'écris ça, et je n'écris pas après *terminé*, ni *amen*, ni *ainsi soit-il*.

L'amour, certes, fait signe, et il est toujours réciproque.

J'ai avancé ça depuis longtemps, très doucement, en disant que les sentiments, c'est toujours réciproque. C'était pour que ça me revienne – *Et alors, et alors, et l'amour, et l'amour, il est toujours réciproque ? – Mais-oui, mais-oui !* C'est même pour ça qu'on a inventé l'inconscient – pour s'apercevoir que le désir de l'homme, c'est le désir de l'Autre, et que l'amour, si c'est là une passion qui peut être l'ignorance du désir, ne lui laisse pas moins toute sa portée. Quand on y regarde de plus près, on en voit les ravages.

La jouissance – jouissance du corps de l'Autre – reste, elle, une question, parce que la réponse qu'elle peut constituer n'est pas nécessaire. Ça va même plus loin. Ce n'est pas non plus une réponse suffisante, parce que l'amour demande l'amour. Il ne cesse pas de le demander. Il le demande… *encore*. *Encore*, c'est le nom propre de cette faille d'où dans l'Autre part la demande d'amour.

Alors, d'où part ce qui est capable, de façon non nécessaire, et non suffisante, de répondre par la jouissance du corps de l'Autre ?

Ce n'est pas l'amour. C'est ce que l'année dernière, inspiré d'une certaine façon par la chapelle de Sainte-Anne qui me portait sur le système, je me suis laissé aller à appeler *l'amur*.

L'amur, c'est ce qui apparaît en signes bizarres sur le corps. Ce sont ces caractères sexuels qui viennent d'au-delà, de cet endroit que nous avons cru pouvoir lorgner au microscope sous la forme du germen – dont je vous ferai remarquer qu'on ne peut dire que ce soit la vie puisque aussi bien ça porte la mort, la mort du corps, de le répéter.

C'est de là que vient l'*en-corps*. Il est donc faux de dire qu'il y a séparation du soma et du germen, puisque, de loger ce germen, le corps porte des traces. Il y a des traces sur l'amur.

Eh bien, ce ne sont que des traces. L'être du corps, certes, est sexué, mais c'est secondaire, comme on dit. Et comme l'expérience le démontre, ce ne sont pas de ces traces que dépend la jouissance du corps en tant qu'il symbolise l'Autre.

C'est là ce qu'avance la plus simple considération des choses.

De quoi s'agit-il donc dans l'amour ? L'amour, est-ce – comme le promeut la psychanalyse avec une audace d'autant plus incroyable que toute son expérience va contre, et qu'elle démontre le contraire – l'amour, est-ce de faire un ? L'Éros est-il tension vers l'Un ?

On ne parle que de ça depuis longtemps, de l'Un. *Y a d'l'Un*, c'est de cet énoncé que j'ai supporté mon discours de l'année dernière, et certes pas pour confluer dans cette confusion originelle, car le désir ne nous conduit qu'à la visée de la faille où se démontre que l'Un ne tient que de l'essence du signifiant. Si j'ai interrogé Frege au départ, c'est pour tenter de démontrer la béance qu'il y a de cet Un à quelque chose qui tient à l'être, et, derrière l'être, à la jouissance.

Je peux vous dire un petit conte, celui d'une perruche qui était amoureuse de Picasso. A quoi cela se voyait-il ? A la façon dont elle lui mordillait le col de sa chemise et les battants de sa veste. Cette perruche était en effet amoureuse de ce qui est essentiel à l'homme, à savoir son accoutrement. Cette perruche était comme Descartes, pour qui des hommes, c'était des habits en… *pro-ménade*. Les habits, ça promet la ménade – quand on les quitte. Mais ce n'est qu'un mythe, un mythe qui vient converger avec le lit de tout à l'heure. Jouir d'un corps quand il n'y a plus d'habits laisse intacte la question de ce qui fait l'Un, c'est-à-dire celle de l'identification. La perruche s'identifiait à Picasso habillé.

Il en est de même de tout ce qui est de l'amour. L'habit aime le moine, parce que c'est par là qu'ils ne sont qu'un. Autrement dit, ce qu'il y a sous l'habit et que nous appelons le corps, ce n'est peut-être que ce reste que j'appelle l'objet *a*.

Ce qui fait tenir l'image, c'est un reste. L'analyse démontre que l'amour dans son essence est narcissique, et dénonce que la substance du prétendu objectal – baratin – est en fait ce qui, dans le désir, est reste, à savoir sa cause, et le soutien de son insatisfaction, voire de son impossibilité.

L'amour est impuissant, quoiqu'il soit réciproque, parce qu'il ignore qu'il n'est que le désir d'être Un, ce qui nous conduit à l'impossible d'établir la relation d'eux. La relation *d'eux* qui ? – *deux sexes*.

3

Assurément, ce qui apparaît sur les corps sous ces formes énigmatiques que sont les caractères sexuels – qui ne sont que secondaires – fait l'être sexué. Sans doute. Mais l'être, c'est la jouissance du corps comme tel, c'est-à-dire comme asexué, puisque ce qu'on appelle la jouissance sexuelle est marquée, dominée, par l'impossibilité d'établir comme telle, nulle part dans l'énonçable, ce seul Un qui nous intéresse, l'Un de la relation *rapport sexuel*.

C'est ce que le discours analytique démontre, en ceci que, pour un de ces êtres comme sexués, pour l'homme en tant qu'il est pourvu de l'organe dit phallique – j'ai dit *dit* –, le sexe corporel, le sexe de la femme – j'ai dit *de la femme*, alors que, justement, il n'y a pas *la* femme, la femme n'est *pas toute* – le sexe de la femme ne lui dit rien, si ce n'est par l'intermédiaire de la jouissance du corps.

Le discours analytique démontre – permettez-moi de le dire sous cette forme – que le phallus, c'est l'objection de conscience faite par un des deux êtres sexués au service à rendre à l'autre.

Et qu'on ne me parle pas des caractères sexuels secondaires de la femme, parce que, jusqu'à nouvel ordre, ce sont ceux de la mère qui priment chez elle. Rien ne distingue la femme comme être sexué, sinon justement le sexe.

Que tout tourne autour de la jouissance phallique, c'est précisément ce dont l'expérience analytique témoigne, et témoigne en ceci que la femme se définit d'une position que j'ai pointée du *pas-tout* à l'endroit de la jouissance phallique.

Je vais un peu plus loin – la jouissance phallique est l'obstacle par quoi l'homme n'arrive pas, dirai-je, à jouir du corps de la femme, précisément parce que ce dont il jouit, c'est de la jouissance de l'organe.

C'est pourquoi le surmoi tel que je l'ai pointé tout à l'heure du *Jouis !* est corrélat de la castration, qui est le signe dont se pare l'aveu que la jouissance de l'Autre, du corps de l'Autre, ne se promeut que de l'infinitude. Je vais dire laquelle – celle, ni plus ni moins, que supporte le paradoxe de Zénon.

Achille et la tortue, tel est le schème du jouir d'un côté de l'être sexué. Quand Achille a fait son pas, tiré son coup auprès de Briséis, celle-ci telle la tortue a avancé d'un peu, parce qu'elle n'est *pas toute*, pas toute à lui. Il en reste. Et il faut qu'Achille fasse le second pas, et ainsi de suite. C'est même comme ça que de nos jours, mais de nos jours seulement, on est arrivé à définir le nombre, le vrai, ou pour mieux dire, le réel. Parce que ce que Zénon n'avait pas vu, c'est que la tortue non plus n'est pas préservée de la fatalité qui pèse sur Achille – son pas à elle est aussi de plus en plus petit et n'arrivera jamais non plus à la limite. C'est de là que se définit un nombre, quel qu'il soit, s'il est réel. Un nombre a une limite, et c'est dans cette mesure qu'il est infini. Achille, c'est bien clair, ne peut que dépasser la tortue, il ne peut pas la rejoindre. Il ne la rejoint que dans l'infinitude.

En voilà le dit pour ce qui est de la jouissance, en tant que sexuelle. D'un côté, la jouissance est marquée par ce trou qui ne lui laisse pas d'autre voie que celle de la jouissance phallique. De l'autre côté, quelque chose peut-il s'atteindre qui nous dirait comment ce qui jusqu'ici n'est que faille, béance dans la jouissance, serait réalisé ?

C'est ce qui, chose singulière, ne peut être suggéré que par des aperçus très étranges. *Étrange* est un mot qui peut se décomposer – l'*être-ange*, c'est bien quelque chose contre quoi nous met en garde l'alternative d'être aussi bête que la perruche de tout à l'heure. Néanmoins, regardons de près ce que nous inspire l'idée que, dans la jouissance des corps, la jouissance sexuelle ait ce privilège d'être spécifiée par une impasse.

Dans cet espace de la jouissance, prendre quelque chose de borné, fermé, c'est un lieu, et en parler, c'est une topologie. Dans un écrit que vous verrez paraître en pointe de mon discours de l'année dernière, je crois démontrer la stricte équivalence de topologie et structure. Si nous nous guidons là-dessus, ce qui distingue l'anonymat de ce dont on parle comme jouissance, à savoir ce qu'ordonne le droit, c'est une géométrie. Une géométrie, c'est l'hétérogénéité du lieu, à savoir qu'il y a un lieu de l'Autre. De ce lieu de l'Autre, d'un sexe comme Autre, comme Autre absolu, que nous permet d'avancer le plus récent développement de la topologie ?

J'avancerai ici le terme de compacité. Rien de plus compact qu'une faille, s'il est bien clair que, l'intersection de tout ce qui s'y ferme étant admise comme existante sur un nombre infini d'ensembles, il en résulte que l'intersection implique ce nombre infini. C'est la définition même de la compacité.

Cette intersection dont je parle est celle que j'ai avancée tout à l'heure comme étant ce qui couvre, ce qui fait obstacle au rapport sexuel supposé.

Seulement supposé, puisque j'énonce que le discours analytique ne se soutient que de l'énoncé qu'il n'y a pas, qu'il est impossible de poser le rapport sexuel. C'est en cela que tient l'avancée du discours analytique, et c'est de par là qu'il détermine ce qu'il en est réellement du statut de tous les autres discours.

Tel est, dénommé, le point qui couvre l'impossibilité du rapport sexuel comme tel. La jouissance, en tant que sexuelle, est phallique, c'est-à-dire qu'elle ne se rapporte pas à l'Autre comme tel.

Suivons là le complément de cette hypothèse de compacité.

Une formule nous est donnée par la topologie que j'ai qualifiée de la plus récente, prenant son départ d'une logique construite sur l'interrogation du nombre, qui conduit à l'instauration d'un lieu qui n'est pas celui d'un espace homogène. Prenons le même espace borné, fermé, supposé institué – l'équivalent de ce que tout à l'heure j'ai avancé de l'intersection s'étendant à l'infini. A le supposer recouvert d'ensembles ouverts, c'est-à-dire excluant leur limite – la limite est ce qui se définit comme plus grand qu'un point, plus petit qu'un autre, mais en aucun cas égal ni au point de départ, ni au point d'arrivée, pour vous l'imager rapidement – il se démontre qu'il est équivalent de dire que l'ensemble de ces espaces ouverts s'offre toujours à un sous-recouvrement d'espaces ouverts, constituant une finitude, à savoir que la suite des éléments constitue une suite finie.

Vous pouvez remarquer que je n'ai pas dit qu'ils sont comptables. Et pourtant, c'est ce que le terme *fini* implique. Finalement, on les compte, un par un. Mais avant d'y arriver, il faudra qu'on y trouve un ordre, et nous devons marquer un temps avant de supposer que cet ordre soit trouvable.

Qu'est-ce qu'implique en tout cas la finitude démon-
trable des espaces ouverts capables de recouvrir l'espace
borné, fermé en l'occasion, de la jouissance sexuelle ? que
lesdits espaces peuvent être pris un par un – et puisqu'il
s'agit de l'autre côté, mettons-les au féminin – une par
une.

C'est bien cela qui se produit dans l'espace de la jouissance sexuelle – qui de ce fait s'avère compact. L'être
sexué de ces femmes pas-toutes ne passe pas par le corps,
mais par ce qui résulte d'une exigence logique dans la
parole. En effet, la logique, la cohérence inscrite dans le
fait qu'existe le langage et qu'il est hors des corps qui en
sont agités, bref l'Autre qui s'incarne, si l'on peut dire,
comme être sexué, exige cet *une par une*.

Et c'est bien là l'étrange, le fascinant, c'est le cas de le
dire – cette exigence de l'Un, comme déjà étrangement le
Parménide pouvait nous le faire prévoir, c'est de l'Autre
qu'elle sort. Là où est l'être, c'est l'exigence de l'infinitude.

Je reviendrai sur ce qu'il en est de ce lieu de l'Autre.
Mais dès maintenant, pour faire image, je vais vous
l'illustrer.

On sait assez combien les analystes se sont amusés
autour de Don Juan dont ils ont tout fait, y compris, ce qui
est un comble, un homosexuel. Mais centrez-le sur ce que
je viens de vous imager, cet espace de la jouissance
sexuelle recouvert par des ensembles ouverts, qui constituent une finitude, et que finalement on compte. Ne
voyez-vous pas que l'essentiel dans le mythe féminin de
Don Juan, c'est qu'il les a une par une ?

Voilà ce qu'est l'autre sexe, le sexe masculin, pour les
femmes. En cela, l'image de Don Juan est capitale.

Des femmes à partir du moment où il y a les noms, on
peut en faire une liste, et les compter. S'il y en a *mille e
tre* c'est bien qu'on peut les prendre une par une, ce qui
est l'essentiel. Et c'est tout autre chose que l'Un de la

fusion universelle. Si la femme n'était pas pas-toute, si dans son corps, elle n'était pas pas-toute comme être sexué, de tout cela rien ne tiendrait.

4

Les faits dont je vous parle sont des faits de discours, de discours dont nous sollicitons dans l'analyse la sortie, au nom de quoi ? – du lâchage des autres discours.

Par le discours analytique, le sujet se manifeste dans sa béance, à savoir dans ce qui cause son désir. S'il n'y avait pas ça, je ne pourrais faire le point avec une topologie qui pourtant ne relève pas du même ressort, du même discours, mais d'un autre, combien plus pur, et qui rend combien plus manifeste le fait qu'il n'est genèse que de discours. Que cette topologie converge avec notre expérience au point de nous permettre de l'articuler, n'est-ce pas là quelque chose qui puisse justifier ce qui, dans ce que j'avance, se supporte, se s'oupire, de ne jamais recourir à aucune substance, de ne jamais se référer à aucun être, et d'être en rupture avec quoi que ce soit qui s'énonce comme philosophie ?

Tout ce qui s'est articulé de l'être suppose qu'on puisse se refuser au prédicat et dire *l'homme est* par exemple sans dire quoi. Ce qu'il en est de l'être est étroitement relié à cette section du prédicat. Dès lors, rien ne peut en être dit sinon par des détours en impasse, des démonstrations d'impossibilité logique, par où aucun prédicat ne suffit. Ce qui est de l'être, d'un être qui se poserait comme absolu, n'est jamais que la fracture, la cassure, l'interruption de la formule *être sexué* en tant que l'être sexué est intéressé dans la jouissance.

21 NOVEMBRE 1972.

COMPLÉMENT

Début de la séance suivante : LA BÊTISE.

Lacan, paraît-il, pour son premier séminaire, comme on l'appelle, de cette année, aurait parlé, je vous le donne en mille, de l'amour, pas moins.

La nouvelle s'est propagée. Elle m'est revenue même de – pas très loin, bien sûr – d'une petite ville de l'Europe où on l'avait envoyée en message. Comme c'est sur mon divan que ça m'est revenu, je ne peux pas croire que la personne qui me l'a rapportée y crut vraiment, vu qu'elle sait bien que ce que je dis de l'amour, c'est assurément qu'on ne peut en parler. *Parlez-moi d'amour* – chansonnette ! J'ai parlé de la lettre d'amour, de la déclaration d'amour, ce qui n'est pas la même chose que la parole d'amour.

Je pense qu'il est clair, même si vous ne vous l'êtes pas formulé, que dans ce premier séminaire j'ai parlé de la bêtise.

Il s'agit de celle qui conditionne ce dont j'ai donné cette année le titre à mon séminaire et qui se dit *encore*. Vous voyez le risque. Je ne vous dis ça que pour vous montrer ce qui fait ici le poids de ma présence – c'est que vous en jouissez. Ma présence seule – du moins j'ose le croire – ma présence seule dans mon discours, ma présence seule est ma bêtise. Je devrais savoir que j'ai mieux à faire que d'être là. C'est bien pour ça que je peux avoir envie qu'elle ne vous soit pas assurée en tout état de cause.

Néanmoins, il est clair que je ne peux pas me mettre dans une position de retrait de dire qu'*encore* et que ça dure. C'est une bêtise puisque moi-même j'y collabore, évidemment. Je ne peux me placer que dans le champ de cet *encore*. Peut-être que remonter du discours analytique jusqu'à ce qui le conditionne – à savoir cette vérité, la seule qui puisse être incontestable de ce qu'elle n'est pas, qu'il n'y a pas de rapport sexuel – ne permet d'aucune façon de juger de ce qui est ou n'est pas de la bêtise. Et pourtant il ne se peut pas, vu l'expérience, qu'à propos du discours analytique, quelque chose ne soit pas interrogé – ce discours ne se tient-il pas de se supporter de la dimension de la bêtise ?

Pourquoi ne pas se demander quel est le statut de cette dimension, pourtant bien présente ? Car enfin il n'y a pas eu besoin du discours analytique pour que – c'est là la nuance – soit annoncé *comme vérité* qu'il n'y a pas de rapport sexuel.

Ne croyez pas que moi, j'hésite à me mouiller. Ce n'est pas d'aujourd'hui que je parlerais de saint Paul. Ce n'est pas ça qui me fait peur, même si je me compromets avec des gens dont le statut et la descendance ne sont pas à proprement parler ce que je fréquente. Néanmoins, que les hommes d'un côté, les femmes de l'autre, ce fut la conséquence du Message, voilà ce qui au cours des âges a eu quelques répercussions. Ça n'a pas empêché le monde de se reproduire à votre mesure. La bêtise tient bon en tout cas.

Ce n'est pas tout à fait comme ça que s'établit le discours analytique, ce que je vous ai formulé du petit *a* et du S_2 qui est en dessous, et de ce que ça interroge du côté du sujet, pour produire quoi ? – sinon de la bêtise. Mais après tout, au nom de quoi dirais-je que si ça continue, c'est de la bêtise ? Comment sortir de la bêtise ?

Il n'en est pas moins vrai qu'il y a un statut à donner à ce neuf discours et à son approche de la bêtise. Sûrement il va plus près, puisque dans les autres discours, la bêtise c'est ce qu'on fuit. Les discours visent toujours à la moindre bêtise, à la bêtise sublime, car *sublime* veut dire le point le plus élevé de ce qui est en bas.

Où est, dans le discours analytique, le sublime de la bêtise ? Voilà en quoi je suis en même temps légitimé à mettre au repos ma participation à la bêtise en tant qu'ici elle nous englobe, et à invoquer qui pourra sur ce point m'apporter la réplique de ce qui, dans d'autres champs, recoupe ce que je dis. C'est là ce que, déjà au terme de l'année dernière, j'ai eu le bonheur de recueillir d'une bouche qui va se trouver être aujourd'hui la même. Il s'agit de quelqu'un qui ici m'écoute, et qui de ce fait est suffisamment introduit au discours analytique. Dès le début de cette année, j'entends qu'il m'apporte, à ses risques et périls, la réplique de ce qui, dans un discours, nommément le philosophique, mène sa voie, la fraye d'un certain statut à l'égard de la moindre bêtise. Je donne la parole à François Recanati, que vous connaissez déjà.

On lira l'exposé de F. Recanati dans Scilicet, *revue de l'École freudienne de Paris.*

12 DÉCEMBRE 1972.

II

A JAKOBSON

Linguisterie.
Le signe qu'on change de discours.
La signifiance à tire-larigot.
Bêtise du signifiant.
La substance jouissante.

Il me paraît difficile de ne pas parler bêtement du langage. C'est pourtant, Jakobson, tu es là, ce que tu réussis à faire.

Une fois de plus, dans les entretiens que Jakobson nous a donnés ces derniers jours au Collège de France, j'ai pu l'admirer assez pour lui en faire maintenant l'hommage.

Il faut pourtant nourrir la bêtise. Est-ce que tout ce qu'on nourrit est, de ce fait même, bête ? Non pas. Mais il est démontré que se nourrir fait partie de la bêtise. Ai-je à en dire davantage devant cette salle où l'on est en somme au restaurant, et où l'on s'imagine qu'on se nourrit parce qu'on n'est pas au restaurant universitaire ? La dimension imaginaire, c'est justement de ça qu'on se nourrit.

Je vous fais confiance pour vous souvenir de ce qu'enseigne le discours analytique sur la vieille liaison avec la nourrice, mère en plus comme par hasard, avec, derrière, l'histoire infernale de son désir et tout ce qui s'ensuit. C'est bien ce dont il s'agit dans la nourriture, de quelque sorte de bêtise, mais que le discours analytique assoit dans son droit.

1

Un jour, je me suis aperçu qu'il était difficile de ne pas entrer dans la linguistique à partir du moment où l'inconscient était découvert.

D'où j'ai fait quelque chose qui me paraît à vrai dire la seule objection que je puisse formuler à ce que vous avez pu entendre l'autre jour de la bouche de Jakobson, à savoir que tout ce qui est du langage relèverait de la linguistique, c'est-à-dire, en dernier terme, du linguiste.

Non que je ne le lui accorde très aisément quand il s'agit de la poésie à propos de laquelle il a avancé cet argument. Mais si on considère tout ce qui, de la définition du langage, s'ensuit quant à la fondation du sujet, si renouvelée, si subvertie par Freud que c'est là que s'assure tout ce qui de sa bouche s'est affirmé comme l'inconscient, alors il faudra, pour laisser à Jakobson son domaine réservé, forger quelque autre mot. J'appellerai cela la linguisterie.

Cela me laisse quelque part au linguiste, et n'est pas sans expliquer que tant de fois, de la part de tant de linguistes, je subisse plus d'une remontrance – certes, pas de Jakobson, mais c'est parce qu'il m'a à la bonne, autrement dit il m'aime, c'est la façon dont j'exprime ça dans l'intimité.

Mon dire, que l'inconscient est structuré comme un langage, n'est pas du champ de la linguistique. C'est une porte ouverte sur ce que vous verrez commenter dans le texte qui paraîtra dans le prochain numéro de mon bien-connu apériodique sous le titre *L'Étourdit* – *d, i, t* – une porte ouverte sur cette phrase que j'ai l'année dernière, à plusieurs reprises, écrite au tableau sans jamais lui donner de développements – *Qu'on dise reste oublié derrière ce qui se dit dans ce qui s'entend.*

C'est pourtant aux conséquences du dit que se juge le dire. Mais ce qu'on fait du dit reste ouvert. Car on peut en faire des tas de choses, comme on fait avec des meubles, à partir du moment par exemple où l'on a essuyé un siège ou un bombardement.

Il y a un texte de Rimbaud dont j'ai fait état l'année dernière, qui s'appelle *A une raison,* et qui se scande de cette réplique qui en termine chaque verset – *Un nouvel amour.* Puisque je suis censé avoir la dernière fois parlé de l'amour, pourquoi ne pas le reprendre à ce niveau, et toujours avec l'idée de marquer la distance de la linguistique à la linguisterie ?

L'amour, c'est dans ce texte le signe, pointé comme tel, de ce qu'on change de raison, et c'est pourquoi le poète s'adresse à cette raison. On change de raison, c'est-à-dire – on change de discours.

Je vous rappellerai ici les quatre discours que j'ai distingués. Il n'en existe quatre que sur le fondement de ce discours psychanalytique que j'articule de quatre places, chacune de la prise de quelque effet de signifiant, et que je situe en dernier dans ce déploiement. Ce n'est à prendre en aucun cas comme une suite d'émergences historiques – que l'un soit apparu depuis plus longtemps que les autres n'est pas ce qui importe ici. Eh bien, je dirai maintenant que de ce discours psychanalytique il y a toujours quelque émergence à chaque passage d'un discours à un autre.

A appliquer ces catégories qui ne sont elles-mêmes structurées que de l'existence du discours psychanalytique, il faut dresser l'oreille à la mise à l'épreuve de cette vérité qu'il y a de l'émergence du discours analytique à chaque franchissement d'un discours à un autre. Je ne dis pas autre chose en disant que l'amour, c'est le signe qu'on change de discours.

La dernière fois, j'ai dit que la jouissance de l'Autre n'est pas le signe de l'amour. Et ici, je dis que l'amour est un signe. L'amour tient-il dans le fait que ce qui apparaît, ce n'est rien de plus que le signe ?

Discours du Maître   *Discours de l'Université*
  impossibilité

$$\frac{S_1}{\$} \xrightarrow{\hspace{1cm}} \frac{S_2}{a}$$ $$\frac{S_2}{S_1} \xrightarrow{\hspace{1cm}} \frac{a}{\$}$$
                                                     impuissance

– s'éclaire par régression du :   – s'éclaire de son « progrès » dans le :

Discours de l'Hystérique   *Discours de l'Analyste*
                                                       impossibilité
$$\frac{\$}{a} \xrightarrow{\hspace{1cm}} \frac{S_1}{S_2}$$ $$\frac{a}{S_2} \xrightarrow{\hspace{1cm}} \frac{\$}{S_1}$$
     impuissance.

Les places sont celles de :   Les termes sont :
                                                    S_1, le signifiant maître
| l'agent | l'autre | S_2, le savoir
| --- | --- | $\$$, le sujet
| la vérité | la production | a, le plus-de-jouir

C'est ici que la logique de Port-Royal, l'autre jour évoquée dans l'exposé de François Recanati, viendrait nous
prêter aide. Le signe, avance-t-elle cette logique – et l'on
s'émerveille toujours de ces dires qui prennent un poids
quelquefois bien longtemps après leur émission – c'est ce
qui se définit de la disjonction de deux substances qui
n'auraient aucune partie commune, à savoir de ce que de
nos jours nous appelons intersection. Cela va nous
conduire à des réponses, tout à l'heure.

Ce qui n'est pas signe de l'amour, c'est la jouissance de
l'Autre, celle de l'Autre sexe et, je commentais, du corps
qui le symbolise.

Changement de discours – ça bouge, ça vous, ça nous,
ça *se* traverse, personne n'accuse le coup. J'ai beau dire
que cette notion de discours est à prendre comme lien
social, fondé sur le langage, et semble donc n'être pas

sans rapport avec ce qui dans la linguistique se spécifie comme grammaire, rien ne semble s'en modifier.

Peut-être cela pose-t-il cette question que nul ne soulève, de savoir ce qu'il en est de la notion d'information, dont le succès est si foudroyant qu'on peut dire que la science tout entière vient à s'en infiltrer. Nous en sommes au niveau de l'information moléculaire du gène et des enroulements des nucléo-protéines autour des tiges d'ADN, elles-mêmes enroulées les unes autour des autres, tout cela lié par des liens hormonaux – messages qui s'envoient, s'enregistrent, etc. Remarquons que le succès de cette formule prend sa source incontestable dans une linguistique qui n'est pas seulement immanente, mais bel et bien formulée. Enfin, cette action s'étend jusqu'au fondement même de la pensée scientifique, à s'articuler comme néguentropie.

Est-ce là ce que moi, d'un autre lieu, de ma linguisterie, je recueille, quand je me sers de la fonction du signifiant ?

2

Qu'est-ce que le signifiant ?

Le signifiant – tel que le promeuvent les rites d'une tradition linguistique qui n'est pas spécifiquement saussurienne, mais remonte jusqu'aux Stoïciens d'où elle se reflète chez saint Augustin – est à structurer en termes topologiques. En effet, le signifiant est d'abord ce qui a effet de signifié, et il importe de ne pas élider qu'entre les deux, il y a quelque chose de barré à franchir.

Cette façon de topologiser ce qu'il en est du langage est illustré sous la forme la plus admirable par la phonologie, pour autant qu'elle incarne du phonème le signifiant. Mais le signifiant ne se peut d'aucune façon limiter à ce support phonématique. De nouveau – qu'est-ce qu'un signifiant ?

Il faut déjà que je m'arrête à poser la question sous cette forme.

Un, mis avant le terme, est en usage d'article indéterminé. Il suppose déjà que le signifiant peut être collectivisé, qu'on peut en faire une collection, en parler comme de quelque chose qui se totalise. Or, le linguiste aurait sûrement de la peine, me semble-t-il, à fonder cette collection, à la fonder sur un *le,* parce qu'il n'y a pas de prédicat qui le permette.

Comme Jakobson l'a fait remarquer, nommément hier, ce n'est pas le mot qui peut fonder le signifiant. Le mot n'a d'autre point où se faire collection que le dictionnaire, où il peut être rangé. Pour vous le faire sentir, je pourrais parler de la phrase, qui est bien là, elle aussi, l'unité signifiante, qu'à l'occasion on essaiera de collecter dans ses représentants typiques pour une même langue, mais j'évoquerai plutôt le proverbe, auquel certain petit article de Paulhan qui m'est tombé récemment sous la main m'a fait m'intéresser plus vivement.

Paulhan, dans cette sorte de dialogue si ambigu qui appréhende l'étranger d'une certaine aire de compétence linguistique, s'est aperçu que le proverbe avait chez les Malgaches un poids particulier, jouait un rôle spécifique. Qu'il l'ait découvert à cette occasion ne m'empêchera pas d'aller plus loin. En effet, on peut s'apercevoir, dans les marges de la fonction proverbiale, que la signifiance est quelque chose qui s'éventaille, si vous me permettez ce terme, du proverbe à la locution.

Cherchez par exemple dans le dictionnaire l'expression *à tire-larigot*, vous m'en direz des nouvelles. On va jusqu'à inventer un monsieur appelé Larigot, et c'est à force de lui tirer la jambe qu'on aurait fini par créer *à tire-larigot*. Qu'est-ce que cela veut dire, *à tire-larigot* ? – et il y a bien d'autres locutions aussi extravagantes. Elles ne veulent dire rien d'autre que ceci – la subversion du désir. C'est là le sens de *à tire-larigot*. Par le tonneau percé de la signifiance coule à tire-larigot un bock, un plein bock de signifiance.

Qu'est-ce que c'est que cette signifiance ? Au niveau où nous sommes, c'est ce qui a effet de signifié.

N'oublions pas qu'au départ on a, à tort, qualifié d'arbitraire le rapport du signifiant et du signifié. C'est ainsi que s'exprime, probablement contre son cœur, Saussure – il pensait bien autre chose, et bien plus près du texte du *Cratyle* comme le montre ce qu'il y a dans ses tiroirs, à savoir des histoires d'anagrammes. Or, ce qui passe pour de l'arbitraire, c'est que les effets de signifié ont l'air de n'avoir rien à faire avec ce qui les cause.

Seulement, s'ils ont l'air de n'avoir rien à faire avec ce qui les cause, c'est parce qu'on s'attend à ce que ce qui les cause ait un certain rapport avec du réel. Je parle du réel sérieux. Le sérieux – il faut bien sûr en mettre un coup pour s'en apercevoir, il faut avoir un peu suivi mes séminaires – ce ne peut être que le sériel. Cela ne s'obtient qu'après un très long temps d'extraction, d'extraction hors du langage, de quelque chose qui y est pris, et dont nous n'avons, au point où j'en suis de mon exposé, qu'une idée lointaine – ne serait-ce qu'à propos de cet *un* indéterminé, de ce leurre dont nous ne savons pas comment le faire fonctionner par rapport au signifiant pour qu'il le collectivise. A la vérité, nous verrons qu'il faut renverser, et au lieu d'*un* signifiant qu'on interroge, interroger le signifiant *Un* – nous n'en sommes pas encore là.

Les effets de signifié ont l'air de n'avoir rien à faire avec ce qui les cause. Cela veut dire que les références, les choses que le signifiant sert à approcher, restent justement approximatives – macroscopiques par exemple. Ce qui est important, ce n'est pas que ce soit imaginaire – après tout, si le signifiant permettait de pointer l'image qu'il nous faut pour être heureux, ce serait très bien, mais ce n'est pas le cas. Ce qui caractérise, au niveau de la distinction signifiant/signifié, le rapport du signifié à ce qui est là comme tiers indispensable, à savoir le référent, c'est proprement que le signifié le rate. Le collimateur ne fonctionne pas.

Le comble du comble, c'est qu'on arrive quand même à s'en servir en passant par d'autres trucs. Pour caractériser la fonction du signifiant, pour le collectiviser d'une façon qui ressemble à une prédication, nous avons quelque chose qui est ce d'où je suis parti, la logique de Port-Royal. Recanati vous a évoqué l'autre jour les adjectifs substantivés. La rondeur, on l'extrait du rond, et, pourquoi pas, la justice du juste, etc. C'est ce qui va nous permettre d'avancer notre bêtise pour trancher que peut-être bien elle n'est pas, comme on le croit, une catégorie sémantique, mais un mode de collectiviser le signifiant.

Pourquoi pas ? – le signifiant est bête.

Il me semble que c'est de nature à engendrer un sourire, un sourire bête naturellement. Un sourire bête, comme chacun sait – il n'y a qu'à aller dans les cathédrales – c'est un sourire d'ange. C'est même là la seule justification de la semonce pascalienne. Et si l'ange a un sourire si bête, c'est parce qu'il nage dans le signifiant suprême. Se retrouver un peu au sec, ça lui ferait du bien – peut-être qu'il ne sourirait plus.

Ce n'est pas que je ne croie pas aux anges – chacun le sait, j'y crois inextrayablement et même inexteilhardement –, simplement, je ne crois pas qu'ils apportent le moindre message, et c'est en quoi ils sont vraiment signifiants.

Pourquoi mettons-nous tant d'accent sur la fonction du signifiant ? Parce que c'est le fondement de la dimension du symbolique, que seul nous permet d'isoler comme telle le discours analytique.

J'aurais pu aborder les choses d'une autre façon – en vous disant comment on fait pour venir me demander une analyse, par exemple.

Je ne voudrais pas toucher à cette fraîcheur. Il y en a qui se reconnaîtraient – Dieu sait ce qu'ils s'imagineraient de ce que je pense. Peut-être croiraient-ils que je les crois bêtes. Ce qui est vraiment la dernière idée qui pourrait me venir dans un tel cas. La question est de ce que le discours analytique introduit un adjectif substantivé, la bêtise, en tant qu'elle est une dimension en exercice du signifiant.

Là, il faut y regarder plus près.

3

Dès qu'on substantive, c'est pour supposer une substance, et les substances, mon Dieu, de nos jours, nous n'en avons pas à la pelle. Nous avons la substance pensante et la substance étendue.

Il conviendrait peut-être d'interroger à partir de là où peut bien se caser cette dimension substantielle, à quelque distance qu'elle soit de nous et, jusqu'à maintenant, ne nous faisant que signe, cette substance en exercice, cette dimension qu'il faudrait écrire *dit-mension,* à quoi la fonction du langage est d'abord ce qui veille avant tout usage plus rigoureux ?

D'abord, la substance pensante, on peut quand même dire que nous l'avons sensiblement modifiée. Depuis *ce je pense* qui, à se supposer lui-même, fonde l'existence, nous avons eu un pas à faire, qui est celui de l'inconscient.

Puisque j'en suis aujourd'hui à traîner dans l'ornière de l'inconscient structuré comme un langage, qu'on le sache – cette formule change totalement la fonction du sujet comme existant. Le sujet n'est pas celui qui pense. Le sujet est proprement celui que nous engageons, non pas, comme nous le lui disons pour le charmer, à tout dire – on ne peut pas tout dire – mais à dire des bêtises, tout est là.

C'est avec ces bêtises que nous allons faire l'analyse, et que nous entrons dans le nouveau sujet qui est celui de l'inconscient. C'est justement dans la mesure où il veut bien ne plus penser, le bonhomme, qu'on en saura peut-

être un petit peu plus long, qu'on tirera quelques conséquences des dits – des dits dont on ne peut pas se dédire,
c'est la règle du jeu.

De là surgit un dire qui ne va pas toujours jusqu'à pouvoir ex-sister au dit. A cause de ce qui vient au dit comme
conséquence. C'est là l'épreuve où, dans l'analyse de quiconque, si bête soit-il, un certain réel peut être atteint.

Statut du dire – il faut que je laisse tout cela de côté pour
aujourd'hui. Mais je peux vous annoncer que ce qu'il va y
avoir cette année de plus emmerdant, c'est de soumettre à
cette épreuve un certain nombre de dires de la tradition
philosophique.

Heureusement que Parménide a écrit en réalité des
poèmes. N'emploie-t-il pas – le témoignage du linguiste
ici fait prime – des appareils de langage qui ressemblent
beaucoup à l'articulation mathématique, alternance après
succession, encadrement après alternance ? Or c'est bien
parce qu'il était poète que Parménide dit ce qu'il a à nous
dire de la façon la moins bête. Autrement, que l'être soit
et que le non-être ne soit pas, je ne sais pas ce que cela
vous dit à vous, mais moi, je trouve cela bête. Et il ne faut
pas croire que cela m'amuse de le dire.

Nous aurons quand même cette année besoin de l'être,
du signifiant Un, pour lequel je vous ai l'année dernière
frayé la voie à dire – *Y a d'l'Un !* C'est de là que part le
sérieux, si bête que ça en ait l'air, ça aussi. Nous aurons
donc quelques références à prendre dans la tradition philosophique.

La fameuse substance étendue, complément de l'autre, on
ne s'en débarrasse pas non plus si aisément, puisque c'est
l'espace moderne. Substance de pur espace, comme on dit
pur esprit. On ne peut pas dire que ce soit prometteur.

Pur espace se fonde sur la notion de partie, à condition
d'y ajouter ceci, que toutes à toutes sont externes – *partes
extra partes*. Même de cela, on est arrivé à extraire
quelques petites choses, mais il a fallu faire de sérieux pas.

Pour situer, avant de vous quitter, mon signifiant, je vous propose de soupeser ce qui, la dernière fois, s'inscrit au début de ma première phrase, le *jouir d'un corps,* d'un corps qui, l'Autre, le symbolise, et comporte peut-être quelque chose de nature à faire mettre au point une autre forme de substance, la substance jouissante.

N'est-ce pas là ce que suppose proprement l'expérience psychanalytique ? – la substance du corps, à condition qu'elle se définisse seulement de ce qui se jouit. Propriété du corps vivant sans doute, mais nous ne savons pas ce que c'est que d'être vivant sinon seulement ceci, qu'un corps cela se jouit.

Cela ne se jouit que de le corporiser de façon signifiante. Ce qui implique quelque chose d'autre que le *partes extra partes* de la substance étendue. Comme le souligne admirablement cette sorte de kantien qu'était Sade, on ne peut jouir que d'une partie du corps de l'Autre, pour la simple raison qu'on n'a jamais vu un corps s'enrouler complètement, jusqu'à l'inclure et le phagocyter, autour du corps de l'Autre. C'est pour ça qu'on en est réduit simplement à une petite étreinte, comme ça, à prendre un avant-bras ou n'importe quoi d'autre – ouille !

Jouir a cette propriété fondamentale que c'est en somme le corps de l'un qui jouit d'une part du corps de l'Autre. Mais cette part jouit aussi – cela agrée à l'Autre plus ou moins, mais c'est un fait qu'il ne peut pas y rester indifférent.

Il arrive même qu'il se produise quelque chose qui dépasse ce que je viens de décrire, et qui est marqué de toute l'ambiguïté signifiante, car le *jouir du corps* comporte un génitif qui a cette note sadienne sur laquelle j'ai mis une touche, ou, au contraire, une note extatique, subjective, qui dit qu'en somme c'est l'Autre qui jouit.

Dans ce qu'il en est de la jouissance, il n'y a là qu'un niveau élémentaire. La dernière fois, j'ai promu qu'elle n'était pas un signe de l'amour. C'est ce qui sera à soutenir, et qui nous mènera au niveau de la jouissance phallique. Mais ce que j'appelle proprement la jouissance de l'Autre en tant qu'elle n'est ici que symbolisée, c'est encore tout autre chose, à savoir le pas-tout que j'aurai à articuler.

4

Dans cette seule articulation, qu'est-ce que le signifiant – le signifiant pour aujourd'hui, et pour clore là-dessus, vu les motifs que j'en ai ?

Je dirai que le signifiant se situe au niveau de la substance jouissante. C'est tout à fait différent de la physique aristotélicienne que je vais évoquer, laquelle de pouvoir être sollicitée comme je vais le faire, nous montre à quel point elle était illusoire.

Le signifiant, c'est la cause de la jouissance. Sans le signifiant, comment même aborder cette partie du corps ? Comment, sans le signifiant, centrer ce quelque chose qui, de la jouissance, est la cause matérielle ? Si flou, si confus que ce soit, c'est une partie qui, du corps, est signifiée dans cet apport.

J'irai maintenant tout droit à la cause finale, finale dans tous les sens du terme. En ceci qu'il en est le terme, le signifiant c'est ce qui fait halte à la jouissance.

Après ceux qui s'enlacent – si vous me permettez – hélas ! Et après ceux qui sont las, holà ! L'autre pôle du signifiant, le coup d'arrêt, est là, aussi à l'origine que peut l'être le vocatif du commandement.

L'efficience, dont Aristote nous fait la troisième forme de la cause, n'est rien enfin que ce projet dont se limite la jouissance. Toutes sortes de choses qui paraissent dans le règne animal font parodie à ce chemin de la jouissance chez l'être parlant, en même temps que s'y esquissent des fonctions qui participent du message – l'abeille transportant le pollen de la fleur mâle à la fleur femelle, voilà qui ressemble beaucoup à ce qu'il en est de la communication.

Et l'étreinte, l'étreinte confuse d'où la jouissance prend sa cause, sa cause dernière, qui est formelle, n'est-elle pas de l'ordre de la grammaire qui la commande ?

Ce n'est pas pour rien que *Pierre bat Paul* au principe des premiers exemples de grammaire, ni que – pourquoi pas le dire comme ça ? – *Pierre et Paule* donnent l'exemple de la conjonction – à ceci près qu'il faut se demander, après, qui *épaule* l'autre. J'ai déjà joué là-dessus depuis longtemps.

On peut même dire que le verbe se définit d'être un signifiant pas si bête – il faut écrire cela en un mot – *passibête* que les autres sans doute, qui fait le passage d'un sujet à sa propre division dans la jouissance, et il l'est encore moins quand cette division, il la détermine en disjonction, et qu'il devient signe.

J'ai joué l'année dernière sur le lapsus orthographique que j'avais fait dans une lettre adressée à une femme – *tu ne sauras jamais combien je t'ai aimé* – *é* au lieu de *ée*. On m'a fait remarquer depuis que cela voulait peut-être dire que j'étais homosexuel. Mais ce que j'ai articulé précisément l'année dernière, c'est que, quand on aime, il ne s'agit pas de sexe.

Voilà ce sur quoi, si vous voulez bien, j'en resterai aujourd'hui.

19 DÉCEMBRE 1972.

III

LA FONCTION DE L'ÉCRIT

L'inconscient est ce qui se lit.
De l'usage des lettres.
S/s.
L'ontologie, discours du maître.
Parler de foutre.
L'illisible.

Je vais entrer tout doucement dans ce que je vous ai réservé pour aujourd'hui, qui, à moi, avant de commencer, me paraît casse-gueule. Il s'agit de la façon dont, dans le discours analytique, nous avons à situer la fonction de l'écrit.

Il y a là-dedans de l'anecdote, à savoir qu'un jour, sur la page d'enveloppe d'un recueil que je sortais – poubellication ai-je dit – je n'ai pas trouvé mieux à écrire que le mot *Écrits*.

Ces *Écrits*, il est assez connu qu'ils ne se lisent pas facilement. Je peux vous faire un petit aveu autobiographique – c'est très précisément ce que je pensais. Je pensais, ça va peut-être même jusque-là, je pensais qu'ils n'étaient pas à lire.

C'est un bon départ.

I

La lettre, ça se lit. Ça semble même être fait dans le prolongement du mot. Ça se lit et littéralement. Mais ce n'est justement pas la même chose de lire une lettre ou bien de lire. Il est bien évident que, dans le discours analytique, il ne s'agit que de ça, de ce qui se lit, de ce qui se lit au-delà de ce que vous avez incité le sujet à dire, qui n'est pas tellement, comme je l'ai souligné la dernière fois, de tout dire que de dire n'importe quoi, sans hésiter à dire des bêtises.

Ça suppose que nous développions cette dimension, ce qui ne peut pas se faire sans le dire. Qu'est-ce que c'est que la dimension de la bêtise ? La bêtise, au moins celle-ci qu'on peut proférer, ne va pas loin. Dans le discours courant, elle tourne court.

C'est ce dont je m'assure quand, ce que je ne fais jamais sans tremblement, je retourne à ce que dans le temps j'ai proféré. Ça me fait toujours une sainte peur, la peur justement d'avoir dit des bêtises, c'est-à-dire quelque chose qu'en raison de ce que j'avance maintenant, je pourrais considérer comme ne tenant pas le coup.

Grâce à quelqu'un qui reprend ce Séminaire – la première année à l'École normale sortira bientôt – j'ai pu avoir comme le sentiment, que je rencontre quelquefois à l'épreuve, que ce que j'ai avancé cette année-là n'était pas si bête, et au moins ne l'était pas au point de m'avoir empêché d'avancer d'autres choses, dont il me semble, parce que j'y suis maintenant, qu'elles se tiennent.

Il n'en reste pas moins que ce *se relire* représente une dimension qui est à situer par rapport à ce qu'est, au regard du discours analytique, la fonction de ce qui se lit.

Le discours analytique a à cet égard un privilège. C'est de là que je suis parti dans ce qui m'a fait date de ce que j'enseigne – ce n'est peut-être pas tant sur le *je* que l'accent doit être mis, à savoir sur ce que *je* puis proférer, que sur le *de*, c'est-à-dire sur d'où ça vient, cet enseignement dont je suis l'effet. Depuis, j'ai fondé le discours analytique d'une articulation précise, qui s'écrit au tableau de quatre lettres, deux barres et cinq traits, qui relient chacune de ces lettres deux à deux. Un de ces traits – puisqu'il y a quatre lettres, il devrait y avoir six traits – manque.

Cette écriture est partie d'un rappel initial, que le discours analytique est ce mode de rapport nouveau fondé seulement de ce qui fonctionne comme parole, et ce, dans quelque chose qu'on peut définir comme un champ. *Fonction et champ*, ai-je écrit, *de la parole et du langage*, j'ai terminé, *en psychanalyse*, ce qui était désigner ce qui fait l'originalité de ce discours qui n'est pas homogène à un certain nombre d'autres qui font office, et que de ce seul fait nous distinguons d'être discours officiels. Il s'agit de discerner quel est l'office du discours analytique, et de le rendre, sinon officiel, du moins officiant.

Et c'est dans ce discours qu'il s'agit de préciser quelle peut être, si elle est spécifique, la fonction de l'écrit dans le discours analytique.

Pour permettre d'expliquer les fonctions de ce discours, j'ai avancé l'usage d'un certain nombre de lettres. D'abord, le *a*, que j'appelle *objet*, mais qui n'est quand même rien qu'une lettre. Puis le A, que je fais fonctionner dans ce qui de la proposition n'a pris que formule écrite, et qu'a produit la logico-mathématique. J'en désigne ce qui d'abord est un lieu, une place. J'ai dit – *le lieu de l'Autre*.

En quoi une lettre peut-elle servir à désigner un lieu ? Il est clair qu'il y a là quelque chose d'abusif. Quand vous ouvrez par exemple la première page de ce qui a été enfin réuni sous la forme d'une édition définitive sous le titre de *La Théorie des ensembles*, et sous le chef d'un auteur fictif du nom de Nicolas Bourbaki, ce que vous voyez, c'est la mise en jeu d'un certain nombre de signes logiques. L'un d'entre eux désigne la fonction *place* comme telle. Il s'écrit d'un petit carré – □.

Je n'ai donc pas fait un usage strict de la lettre quand j'ai dit que le lieu de l'Autre se symbolisait par la lettre

A. Par contre, je l'ai marqué en le redoublant de ce S qui ici veut dire signifiant, signifiant du A en tant qu'il est barré – S (A̶). Par là, j'ai ajouté une dimension à ce lieu du A, en montrant que comme lieu il ne tient pas, qu'il y a là une faille, un trou, une perte. L'objet *a* vient fonctionner au regard de cette perte. C'est là quelque chose de tout à fait essentiel à la fonction du langage.

J'ai usé enfin de cette lettre, Φ, à distinguer de la fonction seulement signifiante qui se promeut dans la théorie analytique jusque-là du terme du phallus. Il s'agit là de quelque chose d'original, que je spécifie aujourd'hui d'être précisé dans son relief par l'écrit même.

Si ces trois lettres sont différentes, c'est qu'elles n'ont pas la même fonction.

Il s'agit maintenant de discerner, à reprendre le fil du discours analytique, ce que ces lettres introduisent dans la fonction du signifiant.

2

L'écrit n'est nullement du même registre, du même tabac si vous me permettez cette expression, que le signifiant.

Le signifiant est une dimension qui a été introduite de la linguistique. La linguistique, dans le champ où se produit la parole, ne va pas de soi. Un discours la soutient, qui est le discours scientifique. Elle introduit dans la parole une dissociation grâce à quoi se fonde la distinction du signifiant et du signifié. Elle divise ce qui semble pourtant aller de soi, c'est que quand on parle, ça signifie, ça comporte le signifié, et, bien plus, ça ne se supporte jusqu'à un certain point que de la fonction de signification.

Distinguer la dimension du signifiant ne prend relief que de poser que ce que vous entendez, au sens auditif du terme, n'a avec ce que ça signifie aucun rapport. C'est là un acte qui ne s'institue que d'un discours, du discours scientifique. Cela ne va pas de soi. Cela va même tellement peu de soi que tout un discours, qui n'est pas une mauvaise plume puisque c'est le *Cratyle* du nommé Platon, est fait de l'effort de montrer qu'il doit bien y avoir un rapport, et que le signifiant veut dire, de soi-même, quelque chose. Cette tentative, que nous pouvons dire, d'où nous sommes, désespérée, est marquée de l'échec, puisque d'un autre discours, du discours scientifique, de son instauration même, et d'une façon dont il n'y a pas à chercher l'histoire, il vient ceci, que le signifiant ne se pose que de n'avoir aucun rapport avec le signifié.

Les termes dont on use là sont toujours eux-mêmes glissants. Un linguiste aussi pertinent qu'a pu l'être Ferdinand de Saussure parle d'arbitraire. C'est là glissement, glissement dans un autre discours, celui du maître pour l'appeler par son nom. L'arbitraire n'est pas ce qui convient.

Quand nous développons un discours, nous devons toujours tenter, si nous voulons rester dans son champ et ne pas rechuter dans un autre, de lui donner sa consistance et n'en sortir qu'à bon escient. Cette vigilance est d'autant plus nécessaire quand il s'agit de ce qu'est un discours. Dire que le signifiant est arbitraire n'a pas la même portée que dire simplement qu'il n'a pas de rapport avec son effet de signifié, car c'est glisser dans une autre référence.

Le mot *référence* en l'occasion ne peut se situer que de ce que constitue comme lien le discours. Le signifiant comme tel ne se réfère à rien si ce n'est à un discours, c'est-à-dire à un mode de fonctionnement, à une utilisation du langage comme lien.

Encore faut-il préciser à cette occasion ce que veut dire ce lien. Le lien – nous ne pouvons qu'y passer immédiatement – c'est un lien entre ceux qui parlent. Vous voyez tout de suite où nous allons – ceux qui parlent, bien sûr, ce n'est pas n'importe qui, ce sont des êtres, que nous sommes habitués à qualifier de vivants, et peut-être est-il très difficile d'exclure de ceux qui parlent la dimension de la vie. Mais nous nous apercevons aussitôt que cette dimension fait entrer en même temps celle de la mort, et qu'il en résulte une radicale ambiguïté signifiante. La fonction d'où seulement la vie peut se définir, à savoir la reproduction d'un corps, ne peut elle-même s'intituler ni de la vie, ni de la mort, puisque, comme telle, en tant que sexuée, elle comporte les deux, vie et mort.

Déjà, rien qu'à nous avancer dans le courant du discours analytique, nous avons fait ce saut qui s'appelle *conception du monde*, et qui doit pourtant être pour nous ce qu'il y a de plus comique. Le terme de conception du monde suppose un tout autre discours que le nôtre, celui de la philosophie.

Rien n'est moins assuré, si l'on sort du discours philosophique, que l'existence d'un monde. Il n'y a qu'occasion de sourire quand on entend avancer du discours analytique qu'il comporte quelque chose de l'ordre d'une telle conception.

Je dirai même plus – qu'on avance un tel terme pour désigner le marxisme fait également sourire. Le marxisme ne me semble pas pouvoir passer pour conception du monde. Y est contraire, par toutes sortes de coordonnées frappantes, l'énoncé de ce que dit Marx. C'est autre chose, que j'appellerai un évangile. C'est l'annonce que l'histoire instaure une autre dimension de discours, et ouvre la possibilité de subvertir complètement la fonction du discours comme tel, et, à proprement parler, du discours philosophique, en tant que sur lui repose une conception du monde.

D'une façon générale, le langage s'avère un champ beaucoup plus riche de ressources que d'être simplement celui où s'est inscrit, au cours des temps, le discours philosophique. Mais, de ce discours, certains points de repère sont énoncés qui sont difficiles à éliminer complètement de tout usage du langage. Par là, il n'y a rien de plus facile que de retomber dans ce que j'ai appelé ironiquement conception du monde, mais qui a un nom plus modéré et plus précis, l'ontologie.

L'ontologie est ce qui a mis en valeur dans le langage l'usage de la copule, l'isolant comme signifiant. S'arrêter au verbe *être* – ce verbe qui n'est même pas, dans le champ complet de la diversité des langues, d'un usage qu'on puisse qualifier d'universel – le produire comme tel, c'est là une accentuation pleine de risques.

Pour l'exorciser, il suffirait peut-être d'avancer que, quand on dit de quoi que ce soit que c'est ce que c'est, rien n'oblige d'aucune façon à isoler le verbe *être*. Ça se prononce *c'est ce que c'est,* et ça pourrait aussi bien s'écrire *seskecé.* On ne verrait à cet usage de la copule que du feu. On n'y verrait que du feu si un discours, qui est le discours du maître, *m'être,* ne mettait l'accent sur le verbe *être*.

C'est ce quelque chose qu'Aristote lui-même regarde à deux fois à avancer puisque, pour désigner l'être qu'il oppose au τὸ τί ἐστι, à la quiddité, à ce que ça est, il va jusqu'à employer le τό τί ἦν εἶναι – ce qui se serait produit si était venu à être, tout court, ce qui était à être. Il semble que, là, le pédicule se conserve qui nous permet de situer d'où se produit ce discours de l'être – c'est tout simplement l'être à la botte, l'être aux ordres, ce qui allait être si tu avais entendu ce que je t'ordonne.

Toute dimension de l'être se produit dans le courant du discours du maître, de celui qui, proférant le signifiant, en attend ce qui est un de ses effets de lien à ne pas négliger, qui tient à ceci que le signifiant commande. Le signifiant est d'abord impératif.

Comment retourner, si ce n'est d'un discours spécial, à une réalité pré-discursive ? C'est là ce qui est le rêve – le rêve, fondateur de toute idée de connaissance. Mais c'est là aussi bien ce qui est à considérer comme mythique. Il n'y a aucune réalité pré-discursive. Chaque réalité se fonde et se définit d'un discours.

C'est en cela qu'il importe que nous nous apercevions de quoi est fait le discours analytique, et que nous ne méconnaissions pas ceci, qui sans doute n'y a qu'une place limitée, à savoir qu'on y parle de ce que le verbe *foutre* énonce parfaitement. On y parle de foutre – verbe, en anglais *to fuck* – et on y dit que ça ne va pas.

C'est une part importante de ce qui se confie dans le discours analytique, et il importe de souligner que ce n'est pas son privilège. C'est aussi ce qui s'exprime dans ce que j'ai appelé tout à l'heure le discours courant. Écrivez-le *disque-ourcourant*, disque aussi hors-champ, hors jeu de tout discours, donc disque tout court – ça tourne, ça tourne très exactement pour rien. Le disque se trouve exactement dans le champ à partir d'où tous les discours se spécifient et où tous se noient, où tout un chacun est capable, tout aussi capable, d'en énoncer autant qu'un autre, mais par un souci de ce que nous appellerons, à très juste titre, *décence*, le fait, mon Dieu, le moins possible.

Ce qui fait le fond de la vie en effet, c'est que pour tout ce qu'il en est des rapports des hommes et des femmes, ce qu'on appelle collectivité, ça ne va pas. Ça ne va pas, et tout le monde en parle, et une grande partie de notre activité se passe à le dire.

Il n'empêche qu'il n'y a rien de sérieux si ce n'est ce qui s'ordonne d'une autre façon comme discours. Jusques et y compris ceci, que ce rapport, ce rapport sexuel, en tant qu'il ne va pas il va quand même – grâce à un certain nombre de conventions, d'interdits, d'inhibitions, qui sont l'effet du langage et ne sont à prendre que de cette étoffe et de ce registre. Il n'y a pas la moindre réalité pré-discursive, pour la bonne raison que ce qui fait collectivité, et que j'ai appelé les hommes, les femmes et les enfants, ça ne veut rien dire comme réalité pré-discursive. Les hommes, les femmes et les enfants, ce ne sont que des signifiants.

Un homme, ce n'est rien d'autre qu'un signifiant. Une

femme cherche un homme au titre de signifiant. Un homme
cherche une femme au titre – ça va vous paraître curieux –
de ce qui ne se situe que du discours, puisque, si ce que
j'avance est vrai, à savoir que la femme n'est pas-toute, il y
a toujours quelque chose qui chez elle échappe au discours.

3

Il s'agit de savoir ce qui, dans un discours, se produit de
l'effet de l'écrit.

Comme vous le savez peut-être – vous le savez en tout
cas si vous avez lu ce que j'écris – le signifiant et le signifié, ce n'est pas seulement que la linguistique les ait distingués. La chose peut-être vous paraît aller de soi. Mais
justement, c'est à considérer que les choses vont de soi
qu'on ne voit rien de ce qu'on a pourtant devant les yeux,
devant les yeux concernant l'écrit. La linguistique n'a pas
seulement distingué l'un de l'autre le signifié et le signifiant. S'il y a quelque chose qui peut nous introduire à la
dimension de l'écrit comme tel, c'est nous apercevoir que
le signifié n'a rien à faire avec les oreilles, mais seulement
avec la lecture, la lecture de ce qu'on entend de signifiant.
Le signifié, ce n'est pas ce qu'on entend. Ce qu'on entend,
c'est le signifiant. Le signifié, c'est l'effet du signifiant.

On distingue là quelque chose qui n'est que l'effet du
discours, du discours en tant que tel, c'est-à-dire de
quelque chose qui fonctionne déjà comme lien. Prenons
les choses au niveau d'un écrit qui est lui-même effet de
discours, de discours scientifique, à savoir l'écrit du S, fait
pour connoter la place du signifiant, et du *s* dont se
connote comme place le signifié – cette fonction de place
n'est créée que par le discours lui-même, chacun à sa
place, ça ne fonctionne que dans le discours. Eh bien,
entre les deux, S et *s*, il y a la barre, $\frac{S}{s}$.

Ça n'a l'air de rien quand vous écrivez une barre pour expliquer. Ce mot, *expliquer*, a toute son importance puisqu'il n'y a rien moyen de comprendre à une barre, même quand elle est réservée à signifier la négation.

C'est très difficile de comprendre ce que ça veut dire, la négation. Si on y regarde d'un peu près, on s'apercevra en particulier qu'il y a une très grande variété de négations, qu'il est tout à fait impossible de réunir sous le même concept. La négation de l'existence, par exemple, ce n'est pas du tout la même chose que la négation de la totalité.

Il y a une chose qui est encore plus certaine – ajouter la barre à la notation S et *s* a déjà quelque chose de superflu, voire de futile, pour autant que ce qu'elle fait valoir est déjà marqué par la distance de l'écrit. La barre, comme tout ce qui est de l'écrit, ne se supporte que de ceci – l'écrit, ça n'est pas à comprendre.

C'est bien pour ça que vous n'êtes pas forcés de comprendre les miens. Si vous ne les comprenez pas, tant mieux, ça vous donnera justement l'occasion de les expliquer.

La barre, c'est pareil. La barre, c'est précisément le point où, dans tout usage du langage, il y a occasion à ce que se produise l'écrit. Si, dans Saussure même, S est au-dessus de *s,* sur la barre, c'est parce que rien ne se supporte des effets de l'inconscient sinon grâce à cette barre – c'est ce que j'ai pu vous démontrer dans *L'Instance de la lettre*, qui fait partie de mes *Écrits*, d'une façon qui s'écrit, rien de plus.

S'il n'y avait cette barre, en effet, rien ne pourrait être expliqué du langage par la linguistique. S'il n'y avait cette barre au-dessus de laquelle il y a du signifiant qui passe, vous ne pourriez voir que du signifiant s'injecte dans le signifié.

S'il n'y avait pas de discours analytique, vous continueriez à parler comme des étourneaux, à chanter le *disqueourcourant,* à faire tourner le disque, ce disque qui tourne parce qu'*il n'y a pas de rapport sexuel* – c'est là une for-mule qui ne peut s'articuler que grâce à toute la construc-tion du discours analytique, et que depuis longtemps je vous serine.

Mais, de vous la seriner, il faut encore que je l'explique – elle ne se supporte que de l'écrit en ceci que le rapport sexuel ne peut pas s'écrire. Tout ce qui est écrit part du fait qu'il sera à jamais impossible d'écrire comme tel le rapport sexuel. C'est de là qu'il y a un certain effet du dis-cours qui s'appelle l'écriture.

On peut à la rigueur écrire *x R y*, et dire *x* c'est l'homme, *y* c'est la femme, et *R* c'est le rapport sexuel. Pourquoi pas ? Seulement voilà, c'est une bêtise, parce que ce qui se supporte sous la fonction de signifiant, de *homme* et de *femme,* ce ne sont que des signifiants tout à fait liés à l'usage *courcourant* du langage. S'il y a un discours qui vous le démontre, c'est bien le discours analytique, de mettre en jeu ceci, que la femme ne sera jamais prise que *quoad matrem*. La femme n'entre en fonction dans le rap-port sexuel qu'en tant que la mère.

Ce sont là des vérités massives, mais qui nous mèneront plus loin, grâce à quoi ? Grâce à l'écriture. Elle ne fera pas objection à cette première approximation, puisque c'est par là qu'elle montrera que c'est une suppléance de ce pas-toute sur quoi repose la jouissance de la femme. A cette jouissance qu'elle n'est pas-toute, c'est-à-dire qui la fait quelque part absente d'elle-même, absente en tant que sujet, elle trouvera le bouchon de ce *a* que sera son enfant.

Du côté de l'*x,* c'est-à-dire de ce qui serait l'homme si le rapport sexuel pouvait s'écrire d'une façon soutenable, soutenable dans un discours, l'homme n'est qu'un signi-fiant parce que là où il entre en jeu comme signifiant, il n'y entre que *quoad castrationem* c'est-à-dire en tant qu'il a rapport avec la jouissance phallique. De sorte que c'est à partir du moment où un discours, le discours analytique, a abordé cette question sérieusement et posé que la condition de l'écrit est qu'il se soutienne d'un discours, que tout se dérobe, et que le rapport sexuel, vous ne pourrez jamais l'écrire – l'écrire d'un vrai écrit, en tant que c'est ce qui, du langage, se conditionne d'un discours.

4

La lettre, radicalement, est effet de discours.

Ce qu'il y a de bien, n'est-ce pas, dans ce que je raconte, c'est que c'est toujours la même chose. Non pas que je me répète, ce n'est pas là la question. C'est que ce que j'ai dit antérieurement prend son sens après.

La première fois, autant que je me souvienne, que j'ai parlé de la lettre – il doit bien y avoir quinze ans, quelque part à Sainte-Anne – j'ai noté ce fait que tout le monde connaît quand on lit un peu, ce qui n'arrive pas à tout le monde, qu'un nommé Sir Flinders Petrie avait cru remarquer que les lettres de l'alphabet phénicien se trouvaient bien avant le temps de la Phénicie sur de menues poteries égyptiennes où elles servaient de marques de fabrique. Cela veut dire que c'est du marché, qui est typiquement un effet de discours, que d'abord est sortie la lettre, avant que quiconque ait songé à user des lettres pour faire quoi ? – quelque chose qui n'a rien à faire avec la connotation du signifiant, mais qui l'élabore et la perfectionne.

Il faudrait prendre les choses au niveau de l'histoire de chaque langue. Il est clair que cette lettre qui nous affole tellement que nous appelons ça, Dieu sait pourquoi, d'un nom différent, *caractère,* la lettre chinoise nommément, est sortie du discours chinois très ancien d'une façon toute différente de celle dont sont sorties nos lettres. De sortir du discours analytique, les lettres qu'ici je sors ont une valeur différente de celles qui peuvent sortir de la théorie des ensembles. L'usage qu'on en fait diffère, et pourtant – c'est là l'intérêt, – il n'est pas sans avoir un certain rapport de convergence. N'importe quel effet de discours a ceci de bon qu'il est fait de la lettre.

Tout cela n'est qu'une amorce que j'aurai l'occasion de développer en distinguant l'usage de la lettre dans l'algèbre et l'usage de la lettre dans la théorie des ensembles. Pour l'instant, je veux simplement vous faire remarquer ceci – le monde, le monde est en décomposition, Dieu merci. Le monde, nous le voyons ne plus tenir, puisque même dans le discours scientifique il est clair qu'il n'y en a pas le moindre. A partir du moment où vous pouvez ajouter aux atomes un truc qui s'appelle le *quark,* et que c'est là le vrai fil du discours scientifique, vous devez quand même vous rendre compte qu'il s'agit d'autre chose que d'un monde.

Il faut que vous vous mettiez tout de même à lire un peu des auteurs – je ne dirai pas de votre temps, je ne vous dirai pas de lire Philippe Sollers, il est illisible, comme moi d'ailleurs – mais vous pouvez lire Joyce par exemple. Vous verrez là comment le langage se perfectionne quand il sait jouer avec l'écriture.

Joyce, je veux bien que ce ne soit pas lisible – ce n'est certainement pas traductible en chinois. Qu'est-ce qui se passe dans Joyce ? Le signifiant vient truffer le signifié. C'est du fait que les signifiants s'emboîtent, se composent, se télescopent – lisez *Finnegan's Wake* – que se produit quelque chose qui, comme signifié, peut paraître énigmatique, mais qui est bien ce qu'il y a de plus proche de ce que nous autres analystes, grâce au discours analytique, nous avons à lire – le lapsus. C'est au titre de lapsus que ça signifie quelque chose, c'est-à-dire que ça peut se lire d'une infinité de façons différentes. Mais c'est précisément pour ça que ça se lit mal, ou que ça se lit de travers, ou que ça ne se lit pas. Mais cette dimension du *se lire,* n'est-ce pas suffisant pour montrer que nous sommes dans le registre du discours analytique ?

Ce dont il s'agit dans le discours analytique, c'est toujours ceci – à ce qui s'énonce de signifiant vous donnez une autre lecture que ce qu'il signifie.

Pour me faire comprendre, je vais prendre une référence dans ce que vous lisez, dans le grand livre du monde. Voyez le vol d'une abeille. Elle va de fleur en fleur, elle butine. Ce que vous apprenez, c'est qu'elle va transporter au bout de ses pattes le pollen d'une fleur sur le pistil d'une autre fleur. Ça, c'est ce que vous lisez dans le vol de l'abeille. Dans un vol d'oiseau qui vole bas – vous appelez ça un vol, c'est en réalité un groupe à un certain niveau – vous lisez qu'il va faire de l'orage. Mais est-ce qu'ils lisent ? Est-ce que l'abeille lit qu'elle sert à la reproduction des plantes phanérogamiques ? Est-ce que l'oiseau lit l'augure de la fortune, comme on disait autrefois, c'est-à-dire de la tempête ?

Toute la question est là. Ce n'est pas exclu, après tout, que l'hirondelle lise la tempête, mais ce n'est pas sûr non plus.

Dans votre discours analytique, le sujet de l'inconscient, vous le supposez savoir lire. Et ça n'est rien d'autre, votre histoire de l'inconscient. Non seulement vous le supposez savoir lire, mais vous le supposez pouvoir apprendre à lire.

Seulement ce que vous lui apprenez à lire n'a alors absolument rien à faire, en aucun cas, avec ce que vous pouvez en écrire.

9 JANVIER 1973.

IV

L'AMOUR ET LE SIGNIFIANT

L'Autre sexe.
Contingence du signifiant, routine du signifié.
La fin du monde et le par-être.
L'amour supplée à l'absence du rapport sexuel.
Les Uns.

Qu'est-ce que je peux avoir à vous dire encore depuis le temps que cela dure, et que cela n'a pas tous les effets que j'en voudrais ? Eh bien, justement à cause de cela, ce que j'ai à dire, cela ne manque pas.

Néanmoins comme on ne saurait tout dire, et pour cause, j'en suis réduit à cet étroit cheminement qui fait qu'à chaque instant il faut que je me garde de reglisser dans ce qui déjà se trouve fait de ce qui s'est dit.

C'est pourquoi aujourd'hui je vais essayer une fois de plus de maintenir ce difficile frayage puisque nous avons un horizon étrange d'être qualifié, de par mon titre, de cet *Encore*.

1

La première fois que je vous ai parlé, j'ai énoncé que la jouissance de l'Autre, que j'ai dit symbolisé par le corps, n'est pas un signe de l'amour.

Naturellement ça passe, parce qu'on sent que c'est du niveau de ce qui a fait le précédent dire, et que cela ne fléchit pas.

Il y a là-dedans des termes qui méritent d'être commentés. La jouissance, c'est bien ce que j'essaie de rendre présent par ce dire même. Ce *l'Autre,* il est plus que jamais mis en question.

L'Autre doit, d'une part, être de nouveau martelé, refrappé, pour qu'il prenne son plein sens, sa résonance complète. D'autre part, il convient de l'avancer comme le terme qui se supporte de ce que c'est moi qui parle, qui ne puis parler que d'où je suis, identifié à un pur signifiant. L'homme, une femme, ai-je dit la dernière fois, ce ne sont rien que signifiants. C'est de là, du dire en tant qu'incarnation distincte du sexe, qu'ils prennent leur fonction.

L'Autre, dans mon langage, cela ne peut donc être que l'Autre sexe.

Qu'en est-il de cet Autre ? Qu'en est-il de sa position au regard de ce retour de quoi se réalise le rapport sexuel, à savoir une jouissance, que le discours analytique a précipitée comme fonction du phallus dont l'énigme reste entière, puisqu'elle ne s'y articule que de faits d'absence ?

Est-ce à dire pourtant qu'il s'agit là, comme on a cru pouvoir trop vite le traduire, du signifiant de ce qui manque dans le signifiant ? C'est là ce à quoi cette année devra mettre un point terme, et du phallus dire quelle est, dans le discours analytique, la fonction. Je dirai pour l'instant que ce que j'ai amené la dernière fois comme la fonction de la barre n'est pas sans rapport avec le phallus.

Il reste la deuxième partie de la phrase liée à la première par un *n'est pas – n'est pas le signe de l'amour.* Et il nous faudra bien, cette année, articuler ce qui est là comme au pivot de tout ce qui s'est institué de l'expérience analytique – l'amour.

L'amour, il y a longtemps qu'on ne parle que de ça. Ai-je besoin d'accentuer qu'il est au cœur du discours philosophique ? C'est là assurément ce qui doit nous mettre en garde. La dernière fois, je vous ai fait entrevoir le discours philosophique comme ce qu'il est, une variante du discours du maître. J'ai pu dire également que l'amour vise l'être, à savoir ce qui, dans le langage, se dérobe le plus – l'être qui, un peu plus, allait être, ou l'être qui, d'être justement, a fait surprise. Et j'ai pu ajouter que cet être est peut-être tout près du signifiant *m'être,* est peut-être l'être au commandement, et qu'il y a là le plus étrange des leurres. N'est-ce pas aussi pour nous commander d'interroger ce en quoi le signe se distingue du signifiant ?

Voilà donc quatre points – la jouissance, l'Autre, le signe, l'amour.

Lisons ce qui s'est émis d'un temps où le discours de l'amour s'avouait être celui de l'être, ouvrons le livre de Richard de Saint-Victor sur la trinité divine. C'est de l'être que nous partons, de l'être en tant qu'il est conçu – pardonnez-moi ce glissement d'écrit dans ma parole – comme *l'êtrernel,* et ce, après l'élaboration pourtant si tempérée d'Aristote, et sous l'influence sans doute de l'irruption du *je suis ce que je suis,* qui est l'énoncé de la vérité judaïque.

Quand l'idée de l'être – jusque-là seulement approchée, frôlée – vient à culminer dans ce violent arrachement à la fonction du temps par l'énoncé de l'éternel, il en résulte d'étranges conséquences. Il y a, dit Richard de Saint-Victor, l'être qui, éternel, l'est de lui-même, l'être qui, éternel, ne l'est pas de lui-même, l'être qui, non éternel, n'a pas cet être fragile, voire inexistant, ne l'a pas de lui-même. Mais l'être non éternel qui est de lui-même, il n'y en a pas. Des quatre subdivisions qui se produisent de l'alternance de l'affirmation et de la négation de l'éternel et du *de lui-même,* c'est là la seule qui paraît, au Richard de Saint-Victor en question, devoir être écartée.

N'y a-t-il pas là ce dont il s'agit concernant le signifiant ? – à savoir qu'aucun signifiant ne se produit comme éternel.

C'est là sans doute ce que, plutôt que de le qualifier d'arbitraire, Saussure eût pu tenter de formuler – le signi-

fiant, mieux eût valu l'avancer de la catégorie du contingent. Le signifiant répudie la catégorie de l'éternel, et
pourtant, singulièrement, il est de lui-même.

Ne vous est-il pas clair qu'il participe, pour employer
une approche platonicienne, à ce rien d'où l'idée création-
niste nous dit que quelque chose de tout à fait originel a
été fait *ex nihilo* ?

N'est-ce pas là quelque chose qui vous apparaisse – si
tant est que *la-paresse* qui est la vôtre puisse être réveillée
par quelque apparition – dans la *Genèse* ? Elle ne nous
raconte rien d'autre que la création – de rien en effet – de
quoi ? – de rien d'autre que de signifiants.

Dès que cette création surgit, elle s'articule de la nomi-
nation de ce qui est. N'est-ce pas là la création dans son
essence ? Alors qu'Aristote ne peut manquer d'énoncer
que, s'il y a jamais eu quelque chose, c'était depuis toujours que c'était là, ne s'agit-il pas, dans l'idée création-
niste, de la création à partir de rien, et donc du signifiant ?

N'est-ce pas là ce que nous trouvons dans ce qui, à se
refléter dans une conception du monde, s'est énoncé
comme révolution copernicienne ?

2

Depuis longtemps je mets en doute ce que Freud, sur
ladite révolution, a cru pouvoir avancer. Le discours de
l'hystérique lui a appris cette autre substance qui tout
entière tient en ceci qu'il y a du signifiant. A recueillir
l'effet de ce signifiant, dans le discours de l'hystérique, il
a su le faire tourner de ce quart de tour qui en a fait le discours analytique.

La notion même de quart de tour évoque la révolution,
mais certes pas dans le sens où révolution est subversion.
Bien au contraire, ce qui tourne – c'est ce qu'on appelle

révolution – est destiné, de son énoncé même, à évoquer le retour.

Assurément, nous ne sommes point à l'achèvement de ce retour, puisque c'est déjà de façon fort pénible que ce quart de tour s'accomplit. Mais il n'est pas trop d'évoquer que s'il y a eu quelque part révolution, ce n'est certes pas au niveau de Copernic. Depuis longtemps l'hypothèse avait été avancée que le soleil était peut-être bien le centre autour duquel ça tournait. Mais qu'importe ? Ce qui importait aux mathématiciens, c'est assurément le départ de ce qui tourne. La virée éternelle des étoiles de la dernière des sphères supposait selon Aristote la sphère de l'immobile, cause première du mouvement de celles qui tournent. Si les étoiles tournent, c'est de ce que la terre tourne sur elle-même. C'est déjà merveille que, de cette virée, de cette révolution, de ce tournage éternel de la sphère stellaire, il se soit trouvé des hommes pour forger d'autres sphères, concevoir le système dit ptolémaïque, et faire tourner les planètes, qui se trouvent au regard de la terre dans cette position ambiguë d'aller et de venir en dents de crochet, selon un mouvement oscillatoire.

Avoir cogité le mouvement des sphères, n'est-ce pas un tour de force extraordinaire ? Copernic n'y ajoutait que cette remarque, que peut-être le mouvement des sphères intermédiaires pouvait s'exprimer autrement. Que la terre fût au centre ou non n'était pas ce qui lui importait le plus.

La révolution copernicienne n'est nullement une révolution. Si le centre d'une sphère est supposé, dans un discours qui n'est qu'analogique, constituer le point-maître, le fait de changer ce point-maître, de le faire occuper par la terre ou le soleil, n'a rien en soi qui subvertisse ce que le signifiant *centre* conserve de lui-même. Loin que l'homme – ce qui se désigne de ce terme, qui n'est que ce qui fait signifier – ait jamais été ébranlé par la découverte que la terre n'est pas au centre, il lui a fort bien substitué le soleil.

Bien sûr, il est maintenant évident que le soleil n'est pas

non plus un centre, et qu'il est en promenade à travers un espace dont le statut est de plus en plus précaire à établir. Ce qui reste au centre, c'est cette bonne routine qui fait que le signifié garde en fin de compte toujours le même sens. Ce sens est donné par le sentiment que chacun a de faire partie de son monde, c'est-à-dire de sa petite famille et de tout ce qui tourne autour. Chacun de vous – je parle même pour les gauchistes – vous y êtes plus que vous ne croyez attachés, et dans une mesure dont vous feriez bien de prendre l'empan. Un certain nombre de préjugés vous font assiette et limitent la portée de vos insurrections au terme le plus court, à celui, très précisément, où cela ne vous apporte nulle gêne, et nommément pas dans une conception du monde qui reste, elle, parfaitement sphérique. Le signifié trouve son centre où que vous le portiez. Et ce n'est pas jusqu'à nouvel ordre le discours analytique, si difficile à soutenir dans son décentrement et qui n'a pas fait encore son entrée dans la conscience commune, qui peut d'aucune façon subvertir quoi que ce soit.

Pourtant, si on me permet de me servir quand même de cette référence copernicienne, j'en accentuerai ce qu'elle a d'effectif. Ce n'est pas de changer le centre.

Ça tourne. Le fait continue à garder pour nous toute sa valeur, si réduit qu'il soit en fin de compte, et motivé seulement de ce que la terre tourne et qu'il nous semble par là que c'est la sphère céleste qui tourne. Elle continue bel et bien à tourner, et elle a toutes sortes d'effets, par exemple que c'est par années que vous comptez votre âge. La subversion, si elle a existé quelque part et à un moment, n'est pas d'avoir changé le point de virée de ce qui tourne, c'est d'avoir substitué au *ça tourne* un *ça tombe*.

Le point vif, comme quelques-uns ont eu l'idée de s'en apercevoir, n'est pas Copernic, c'est un peu plus Kepler, à cause du fait que chez lui ça ne tourne pas de la même façon – ça tourne en ellipse, et ça met déjà en question la fonction du centre. Ce vers quoi ça tombe chez Kepler est en un point de l'ellipse qui s'appelle le foyer, et, dans le point symétrique, il n'y a rien. Cela assurément est correctif à cette image du centre. Mais le *ça tombe* ne prend son poids de subversion qu'à aboutir à quoi ? A ceci et rien de plus –

$$F = g \frac{mm'}{d^2}.$$

C'est dans cet écrit, dans ce qui se résume à ces cinq petites lettres écrites au creux de la main, avec un chiffre en plus, que consiste ce qu'on attribue indûment à Copernic. C'est ce qui nous arrache à la fonction imaginaire, et pourtant fondée dans le réel, de la révolution.

Ce qui est produit dans l'articulation de ce nouveau discours qui émerge comme discours de l'analyse c'est que le départ est pris de la fonction du signifiant, bien loin que soit admis par le vécu du fait lui-même ce que le signifiant emporte de ses effets de signifié.

C'est à partir des effets de signifié que s'est édifiée la structuration que je vous ai rappelée. Pendant des temps, il a semblé naturel qu'un monde se constituât, dont le corrélat était, au-delà, l'être même, l'être pris comme éternel. Ce monde conçu comme le tout, avec ce que ce mot comporte, quelque ouverture qu'on lui donne, de limité, reste une conception – c'est bien là le mot – une vue, un regard, une prise imaginaire. Et de cela résulte ceci qui reste étrange, que quelqu'un, une partie de ce monde, est au départ supposé pouvoir en prendre connaissance. Cet Un s'y trouve dans cet état qu'on peut appeler l'existence, car comment pourrait-il être support du *prendre connaissance* s'il n'était pas existant ? C'est là que de toujours s'est marquée l'impasse, la vacillation résultant de cette cosmologie qui consiste dans l'admission d'un monde. Au contraire est-ce qu'il n'y a pas dans le discours analytique de quoi nous introduire à ceci que toute subsistance, toute persistance du monde comme tel doit être abandonnée ?

Le langage – la langue forgée du discours philosophique – est tel qu'à tout instant, vous le voyez, je ne peux faire que je ne reglisse dans ce monde, dans ce supposé d'une substance qui se trouve imprégnée de la fonction de l'être.

3

Suivre le fil du discours analytique ne tend à rien de moins qu'à rebriser, qu'à infléchir, qu'à marquer d'une incurvation propre et d'une incurvation qui ne saurait même être maintenue comme étant celle de lignes de force, ce qui produit comme telle la faille, la discontinuité. Notre recours est, dans la langue, ce qui la brise. Si bien que rien ne paraît mieux constituer l'horizon du discours analytique que cet emploi qui est fait de la lettre par la mathématique. La lettre révèle dans le discours ce qui, pas par hasard, pas sans nécessité, est appelé la grammaire. La grammaire est ce qui ne se révèle du langage qu'à l'écrit.

Au-delà du langage, cet effet, qui se produit de se supporter seulement de l'écriture, est assurément l'idéal de la mathématique. Or, se refuser la référence à l'écrit, c'est s'interdire ce qui, de tous les effets de langage, peut arriver à s'articuler. Cette articulation se fait dans ce qui résulte du langage quoi que nous fassions, à savoir un supposé en deçà et au-delà.

Supposer un en-deçà – nous sentons bien qu'il n'y a là qu'une référence intuitive. Et pourtant, cette supposition est inéliminable parce que le langage, dans son effet de signifié, n'est jamais qu'à côté du référent. Dès lors, n'est-il pas vrai que le langage nous impose l'être et nous oblige comme tel à admettre que, de l'être, nous n'avons jamais rien?

Ce à quoi il faut nous rompre, c'est à substituer à cet être qui fuirait le *par-être*, soit l'être *para*, l'être à côté.

Je dis le *par-être*, et non le paraître, comme on l'a dit depuis toujours, le phénomène, ce au-delà de quoi il y aurait cette chose, noumène – elle nous a en effet menés, menés à toutes les opacifications qui se dénomment justement de l'obscurantisme. C'est au point même d'où jaillissent les paradoxes de tout ce qui arrive à se formuler comme effet d'écrit que l'être se présente, se présente toujours, de par-être. Il faudrait apprendre à conjuguer comme il se doit – je par-suis, tu par-es, il par-est, nous par-sommes, et ainsi de suite.

C'est bien en relation avec le par-être que nous devons articuler ce qui supplée au rapport sexuel en tant qu'inexistant. Il est clair que, dans tout ce qui s'en approche, le langage ne se manifeste que de son insuffisance.

Ce qui supplée au rapport sexuel, c'est précisément l'amour.

L'Autre, l'Autre comme lieu de la vérité, est la seule place, quoique irréductible, que nous pouvons donner au terme de l'être divin, de Dieu pour l'appeler par son nom. Dieu est proprement le lieu où, si vous m'en permettez le jeu, se produit le *dieu* – le *dieur* – le *dire*. Pour un rien, le dire ça fait Dieu. Et aussi longtemps que se dira quelque chose, l'hypothèse Dieu sera là.

C'est ce qui fait qu'en somme il ne peut y avoir de vraiment athées que les théologiens, c'est à savoir ceux qui, de Dieu, en parlent.

Aucun autre moyen de l'être, sinon à se cacher sa tête dans ses bras au nom de je-ne-sais quelle trouille, comme si jamais ce Dieu avait effectivement manifesté une présence quelconque. Par contre, il est impossible de dire quoi que ce soit sans aussitôt Le faire subsister sous la forme de l'Autre.

Chose qui est tout à fait évidente dans le moindre cheminement de cette chose que je déteste, pour les meilleures raisons, c'est-à-dire l'Histoire.

L'Histoire est précisément faite pour nous donner l'idée qu'elle a un sens quelconque. Au contraire, la première des choses que nous ayons à faire, c'est de partir de ceci, que nous sommes là en face d'un dire, qui est le dire d'un autre, qui nous raconte ses bêtises, ses embarras, ses empêchements, ses émois, et que c'est là qu'il s'agit de lire quoi ? – rien d'autre que les effets de ces dires. Ces effets, nous voyons bien en quoi ça agite, ça remue, ça tracasse les êtres parlants. Bien sûr, pour que ça aboutisse à quelque chose, il faut bien que ça serve, et que ça serve, mon Dieu, à ce qu'ils s'arrangent, à ce qu'ils s'accommodent, à ce que, boiteux boitillant, ils arrivent quand même à donner une ombre de petite vie à ce sentiment dit de l'amour.

Il faut, il le faut bien, il faut que ça dure encore. Il faut que, par l'intermédiaire de ce sentiment, ça aboutisse en fin de compte – comme l'ont très bien vu des gens qui, à l'égard de tout cela, ont pris leurs précautions sous le paravent de l'Église – à la reproduction des corps.

Mais est-ce qu'il ne se pourrait pas que le langage ait d'autres effets que de mener les gens par le bout du nez à se reproduire encore, en corps à corps et en corps incarné ?

Il y a quand même un autre effet du langage, qui est l'écrit.

4

De l'écrit, depuis que le langage existe, nous avons vu des mutations. Ce qui s'écrit, c'est la lettre, et la lettre ne s'est pas toujours fabriquée de la même façon. Là-dessus, on fait de l'histoire, l'histoire de l'écriture, et on se casse la tête à imaginer ce à quoi pouvaient bien servir les pictographies mayas ou aztèques, et, un peu plus loin, les cailloux du Mas d'Azil – qu'est-ce que ça pouvait bien être que ces drôles de dés, à quoi jouait-on avec ça ?

Poser des questions telles, c'est la fonction habituelle de l'Histoire. Il faudrait dire – surtout ne touchez pas à la hache, initiale de l'Histoire. Ce serait une bonne façon de ramener les gens à la première des lettres, celle à laquelle je me limite, la lettre A – d'ailleurs la Bible ne commence qu'à la lettre B, elle a laissé la lettre A – pour que je m'en charge.

Il y a là beaucoup à s'instruire, non pas en recherchant les cailloux du Mas d'Azil, ni même, comme je le faisais jadis pour mon bon public, mon public d'analystes, en allant chercher l'encoche sur la pierre pour expliquer le trait unaire – c'était à la portée de leur entendement –, mais en regardant de plus près ce que font les mathématiciens avec les lettres, depuis que, au mépris d'un certain nombre de choses, ils se sont mis, de la façon la plus fondée, sous le nom de théorie des ensembles, à s'apercevoir qu'on pouvait aborder l'Un d'une autre façon qu'intuitive, fusionnelle, amoureuse.

Nous ne sommes qu'un. Chacun sait bien sûr que ce n'est jamais arrivé entre deux qu'ils ne fassent qu'un, mais enfin *nous ne sommes qu'un.* C'est de là que part l'idée de l'amour. C'est vraiment la façon la plus grossière de donner au rapport sexuel, à ce terme qui se dérobe manifestement, son signifié.

Le commencement de la sagesse devrait être de commencer à s'apercevoir que c'est en ça que le vieux père Freud a frayé des voies. C'est de là que je suis parti parce que ça m'a moi-même un petit peu touché. Ça pourrait toucher n'importe qui d'ailleurs, n'est-ce pas, de s'apercevoir que l'amour, s'il est vrai qu'il a rapport avec l'Un, ne fait jamais sortir quiconque de soi-même. Si c'est ça, tout ça, et rien que ça, que Freud a dit en introduisant la fonction de l'amour narcissique, tout le monde sent, a senti, que le problème, c'est comment il peut y avoir un amour pour un autre.

Cet Un dont tout le monde a plein la bouche est d'abord de la nature de ce mirage de l'Un qu'on se croit être. Ce n'est pas dire que ce soit là tout l'horizon. Il y a autant d'Uns qu'on voudra – qui se caractérisent de ne se res-

sembler chacun en rien, voir la première hypothèse du
Parménide.

La théorie des ensembles fait irruption de poser ceci –
parlons de l'Un pour des choses qui n'ont entre elles strictement aucun rapport. Mettons ensemble des objets de
pensée, comme on dit, des objets du monde, chacun
compte pour un. Assemblons ces choses absolument hété-
roclites, et donnons-nous le droit de désigner cet assemblage par une lettre. C'est ainsi que s'exprime à son début
la théorie des ensembles, celle par exemple que la dernière fois j'ai avancée au titre de Nicolas Bourbaki.

Vous avez laissé passer ceci, que j'ai dit que la lettre
désigne un assemblage. C'est ce qui est imprimé dans le
texte de l'édition définitive à laquelle les auteurs – comme
vous le savez, ils sont multiples – ont fini par donner leur
assentiment. Ils prennent bien soin de dire que les lettres
désignent des assemblages. C'est là qu'est leur timidité et
leur erreur – les lettres *font* les assemblages, les lettres *sont*,
et non pas *désignent*, ces assemblages, elles sont prises
comme fonctionnant comme ces assemblages mêmes.

Vous voyez qu'à conserver encore ce *comme*, je m'en
tiens à l'ordre de ce que j'avance quand je dis que l'inconscient est structuré *comme* un langage. Je dis *comme*
pour ne pas dire, j'y reviens toujours, que l'inconscient est
structuré *par* un langage. L'inconscient est structuré
comme les assemblages dont il s'agit dans la théorie des
ensembles sont comme des lettres.

Puisqu'il s'agit pour nous de prendre le langage comme
ce qui fonctionne pour suppléer l'absence de la seule part
du réel qui ne puisse pas venir à se former de l'être, à
savoir le rapport sexuel, – quel support pouvons-nous
trouver à ne lire que les lettres ? C'est dans le jeu même de
l'écrit mathématique que nous avons à trouver le point
d'orientation vers quoi nous diriger pour, de cette pratique, de ce lien social nouveau qui émerge et singulièrement s'étend, le discours analytique, tirer ce qu'on peut en

tirer quant à la fonction du langage, de ce langage à quoi nous faisons confiance pour que ce discours ait des effets, sans doute moyens, mais suffisamment supportables – pour que ce discours puisse supporter et compléter les autres discours.

Depuis quelque temps, il est clair que le discours universitaire doit s'écrire *uni – vers – Cythère*, puisqu'il doit répandre l'éducation sexuelle. Nous verrons à quoi ça aboutira. Il ne faut surtout pas y faire obstacle. Que de ce point de savoir, qui se pose exactement dans la situation autoritaire du semblant, quelque chose puisse se diffuser qui ait pour effet d'améliorer les rapports des sexes, est assurément bien fait pour provoquer le sourire d'un analyste. Mais après tout, qui sait ?

Nous l'avons dit déjà, le sourire de l'ange est le plus bête des sourires, il ne faut donc jamais s'en targuer. Mais il est clair que l'idée même de démontrer au tableau noir quelque chose qui se rapporte à l'éducation sexuelle ne paraît pas, du point de vue du discours de l'analyste, plein de promesses de bonnes rencontres ou de bonheur.

S'il y a quelque chose qui, dans mes *Écrits*, montre que ma bonne orientation, puisque c'est celle dont j'essaie de vous convaincre, ne date pas d'hier, c'est bien qu'au lendemain d'une guerre, où rien évidemment ne semblait promettre des lendemains qui chantent, j'aie écrit *Le Temps logique et l'assertion de certitude anticipée*. On peut très bien y lire, si on écrit et pas seulement si l'on a de l'oreille, que la fonction de la hâte, c'est déjà ce petit *a* qui la thètise. J'ai mis là en valeur le fait que quelque chose comme une intersubjectivité peut aboutir à une issue salutaire. Mais ce qui mériterait d'être regardé de plus près est ce que supporte chacun des sujets non pas d'être un entre autres, mais d'être, par rapport aux deux autres, celui qui est l'enjeu de leur pensée. Chacun n'intervenant dans ce ternaire qu'au titre de cet objet *a* qu'il est, sous le regard des autres.

En d'autres termes, ils sont trois, mais en réalité, ils sont deux plus *a*. Ce deux plus *a*, au point du *a*, se réduit, non pas aux deux autres, mais à un Un plus *a*. Vous savez d'ailleurs que j'ai déjà usé de ces fonctions pour essayer de vous représenter l'inadéquat du rapport de l'Un à l'Autre, et que j'ai déjà donné pour support à ce petit *a* le nombre irrationnel qu'est le nombre dit d'or. C'est en tant que, du petit *a*, les deux autres sont pris comme Un plus *a*, que fonctionne ce qui peut aboutir à une sortie dans la hâte.

Cette identification, qui se produit dans une articulation ternaire, se fonde de ce qu'en aucun cas ne peuvent se tenir pour support deux comme tels. Entre deux, quels qu'ils soient, il y a toujours l'Un et l'Autre, le Un et le petit *a*, et l'Autre ne saurait, dans aucun cas, être pris pour un Un.

C'est tant que dans l'écrit se joue quelque chose de brutal, de prendre pour uns tous les uns qu'on voudra, que les impasses qui s'en révèlent sont par elles-mêmes, pour nous, un accès possible à l'être, et une réduction possible de la fonction de cet être, dans l'amour.

Je veux terminer en montrant par où le signe se différencie du signifiant.

Le signifiant, ai-je dit, se caractérise de représenter un sujet pour un autre signifiant. De quoi s'agit-il dans le signe ? Depuis toujours, la théorie cosmique de la connaissance, la conception du monde, fait état de l'exemple fameux de la fumée qu'il n'y a pas sans feu. Et pourquoi n'avancerai-je pas ici ce qu'il me semble ? La fumée peut être aussi bien le signe du fumeur. Et même, elle l'est toujours par essence. Il n'y a de fumée que de signe du fumeur. Chacun sait que, si vous voyez une fumée au moment où vous abordez une île déserte, vous vous dites tout de suite qu'il y a toutes les chances qu'il y ait là quelqu'un qui sache faire du feu. Jusqu'à nouvel ordre, ce sera un autre homme. Le signe n'est donc pas le signe de quelque chose, mais d'un effet qui est ce qui se suppose en tant que tel d'un fonctionnement du signifiant.

Cet effet est ce que Freud nous apprend, et qui est le départ du discours analytique, à savoir le sujet.

Le sujet, ce n'est rien d'autre – qu'il ait ou non conscience de quel signifiant il est l'effet – que ce qui glisse dans une chaîne de signifiants. Cet effet, le sujet, est l'effet intermédiaire entre ce qui caractérise un signifiant et un autre signifiant, à savoir d'être chacun, d'être chacun un élément. Nous ne connaissons pas d'autre support par où soit introduit dans le monde le Un, si ce n'est le signifiant en tant que tel, c'est-à-dire en tant que nous apprenons à le séparer de ses effets de signifié.

Dans l'amour, ce qui est visé, c'est le sujet, le sujet comme tel, en tant qu'il est supposé à une phrase articulée, à quelque chose qui s'ordonne ou peut s'ordonner d'une vie entière.

Un sujet, comme tel, n'a pas grand-chose à faire avec la jouissance. Mais, par contre, son signe est susceptible de provoquer le désir. Là est le ressort de l'amour. Le cheminement que nous essaierons de continuer dans les fois proches vous montrera où se rejoignent l'amour et la jouissance sexuelle.

16 JANVIER 1973.

V

ARISTOTE ET FREUD :
L'AUTRE SATISFACTION

Le tracas d'Aristote.
Le défaut de jouissance
et la satisfaction du blablabla.
Le développement, hypothèse de maîtrise.
La jouissance ne convient pas
au rapport sexuel.

Tous les besoins de l'être parlant sont contaminés par
le fait d'être impliqués dans une autre satisfaction – sou-
lignez ces trois mots – *à quoi ils peuvent faire défaut.*

Cette première phrase que, en me réveillant ce matin,
j'ai mise sur le papier pour que vous l'écriviez – cette
première phrase emporte l'opposition d'une autre satisfaction et des besoins – si tant est que ce terme dont le
recours est commun puisse si aisément se saisir, puisque
après tout il ne se saisit qu'à faire défaut à cette autre
satisfaction.

L'autre satisfaction, vous devez l'entendre, c'est ce qui
se satisfait au niveau de l'inconscient – et pour autant que
quelque chose s'y dit et ne s'y dit pas, s'il est vrai qu'il est
structuré comme un langage.

Je reprends là ce à quoi depuis un moment je me réfère,
c'est à savoir la jouissance dont dépend cette autre satisfaction, celle qui se supporte du langage.

1

En traitant il y a longtemps, très longtemps, de l'éthique de la psychanalyse, je suis parti de rien de moins que de l'*Éthique à Nicomaque* d'Aristote.

Ça peut se lire. Il n'y a qu'un malheur pour un certain nombre ici, c'est que ça ne peut pas se lire en français. C'est manifestement intraduisible. Il y avait chez Garnier autrefois une chose qui a pu me faire croire qu'il y avait une traduction, d'un nommé Voilquin. C'est un universitaire, évidemment. Ce n'est pas de sa faute si le grec ne se traduit pas en français. Les choses se sont condensées de façon telle qu'on ne vous donne plus chez Garnier, qui s'est en plus réuni à Flammarion, que le texte français – je dois dire que les éditeurs m'enragent. Vous vous apercevez alors, quand vous lisez ça sans le grec en regard, que vous n'en sortez pas. C'est à proprement parler inintelligible.

Tout art et toute recherche, de même que toute action et toute délibération réfléchie – quel rapport entre ces quatre trucs-là ? – *tendent semble-t-il vers quelque bien. Aussi a-t-on eu parfois parfaitement raison de définir le bien : ce à quoi on tend en toutes circonstances. Toutefois* – ça vient ici comme un cheveu sur la soupe, on n'en a pas encore parlé – *il paraît bien qu'il y a une différence entre les fins.*

Je défie quiconque de pouvoir éclairer cette masse épaisse sans d'abondants commentaires qui fassent référence au texte grec. Il est tout de même impossible de penser que c'est ainsi simplement parce qu'il s'agit de notes mal prises. Il vient, comme ça, avec le temps, quelques lucioles dans l'esprit des commentateurs, il leur vient à l'idée que, s'ils sont forcés de se donner tant de peine, il y a peut-être à ça une raison. Il n'est pas forcé du tout qu'Aristote, ce soit impensable. J'y reviendrai.

Pour moi, ce qui se trouvait écrit, dactylographié à partir de la sténographie, de ce que j'avais dit de l'éthique, a paru plus qu'utilisable aux gens qui à ce moment-là s'occupaient de me désigner à l'attention de l'*Internationale de psychanalyse* avec le résultat que l'on sait. Ils auraient bien aimé que flottent quand même ces réflexions sur ce que la psychanalyse comporte d'éthique. Ç'aurait été tout profit – j'aurais fait, moi, plouf, et l'*Éthique de la psychanalyse* aurait surnagé. Voilà un exemple de ceci, que le calcul ne suffit pas – j'ai empêché cette *Éthique* de paraître. Je m'y suis refusé à partir de l'idée que les gens qui ne veulent pas de moi, moi, je ne cherche pas à les convaincre. Il ne faut pas convaincre. Le propre de la psychanalyse, c'est de ne pas vaincre, con ou pas.

C'était quand même un séminaire pas mal du tout, à tout prendre. A l'époque, quelqu'un qui ne participait pas du tout à ce calcul de tout à l'heure, l'avait rédigé, comme ça, franc-jeu comme argent, de tout cœur. Il en avait fait un écrit, un écrit de lui. Il ne songeait d'ailleurs pas du tout à le ravir, et il l'aurait produit tel que, si j'avais bien voulu. Je n'ai pas voulu. C'est peut-être aujourd'hui, de tous les séminaires que quelqu'un d'autre doit faire paraître, le seul que je récrirai moi-même, et dont je ferai un écrit. Il faut bien que j'en fasse un, tout de même. Pourquoi ne pas choisir celui-là ?

Il n'y a pas de raison de ne pas se mettre à l'épreuve, et de ne voir pas comment, ce terrain, dont Freud a fait son champ, d'autres le voyaient avant lui. C'est une façon autre d'éprouver ce dont il s'agit, à savoir que ce terrain n'est pensable que grâce aux instruments dont on opère, et que les seuls instruments dont se véhicule le témoignage sont des écrits. Une épreuve toute simple le rend sensible – à la lire dans la traduction française, l'*Éthique à Nicomaque*, vous n'y comprendrez rien, bien sûr, mais pas moins qu'à ce que je dis, donc ça suffit quand même.

Aristote, ce n'est pas plus compréhensible que ce que je vous raconte. Ça l'est plutôt moins, parce qu'il remue plus de choses, et des choses qui nous sont plus lointaines.

Mais il est clair que cette autre satisfaction dont je parlais à l'instant, c'est exactement celle qui est repérable de surgir de quoi ? – eh bien, mes bons amis, impossible d'y échapper si vous vous mettez au pied du truc – des universaux, du Bien, du Vrai, du Beau.

Qu'il y ait ces trois spécifications donne un aspect pathétique à l'approche qu'en font certains textes, ceux qui relèvent d'une pensée *autorisée*, avec le sens entre guillemets que je donne à ce terme, à savoir une pensée léguée avec un nom d'auteur. C'est ce qui arrive avec certains textes qui nous viennent de ce que je regarde à deux fois à appeler une culture très ancienne – ce n'est pas de la culture.

La culture en tant que distincte de la société, ça n'existe pas. La culture, c'est justement que ça nous tient. Nous ne l'avons plus sur le dos que comme une vermine, parce que nous ne savons pas qu'en faire, sinon nous en épouiller. Moi, je vous conseille de la garder, parce que ça chatouille et que ça réveille. Ça réveillera vos sentiments qui tendent plutôt à devenir un peu abrutis, sous l'influence des circonstances ambiantes, c'est-à-dire de ce que les autres, qui viendront après, appelleront votre culture à vous. Ce sera devenu pour eux de la culture parce que depuis longtemps vous serez là-dessous, et avec vous tout ce que vous supportez de lien social. En fin de compte, il n'y a que ça, le lien social. Je le désigne du terme de discours parce qu'il n'y a pas d'autre moyen de le désigner dès qu'on s'est aperçu que le lien social ne s'instaure que de s'ancrer dans la façon dont le langage se situe et s'imprime, se situe sur ce qui grouille, à savoir l'être parlant.

Il ne faut pas s'étonner que des discours antérieurs, et puis il y en aura d'autres, ne soient plus pensables pour nous, ou très difficilement. De même que le discours que j'essaye, moi, d'amener au jour, il ne vous est pas tout de suite accessible de l'entendre, de même, d'où nous sommes, il n'est pas non plus très facile d'entendre le discours d'Aristote. Mais est-ce que c'est une raison pour qu'il ne soit pas pensable ? Il est tout à fait clair qu'il l'est. C'est simplement quand nous imaginons qu'Aristote veut dire quelque chose que nous nous inquiétons de ce qu'il entoure. Qu'est-ce qu'il prend dans son filet, dans son réseau, qu'est-ce qu'il retire, qu'est-ce qu'il manie, à quoi a-t-il affaire, avec qui se bat-il, qu'est-ce qu'il soutient, qu'est-ce qu'il travaille, qu'est-ce qu'il poursuit ?

Évidemment, dans les quatre premières lignes que je viens de vous lire, vous entendez les mots, et vous supposez bien que ça veut dire quelque chose, mais vous ne savez pas quoi, naturellement. *Tout art, toute recherche, toute action* – tout ça qu'est-ce que ça veut dire ? Mais c'est bien parce qu'Aristote en a mis beaucoup à la suite, et que ça nous parvient imprimé après avoir été recopié pendant longtemps, qu'on suppose qu'il y a quelque chose qui fait prise au milieu de tout ça. C'est alors que nous nous posons la question, la seule – où est-ce que ça les satisfaisait, des trucs comme ça ?

Peu importe quel en fut alors l'usage. On sait que ça se véhiculait, qu'il y avait des volumes d'Aristote. Ça nous déroute, et très précisément en ceci – la question *d'où est-ce que ça les satisfaisait ?* n'est traduisible que de cette façon – *où est-ce qu'il y aurait eu faute à une certaine jouissance ?* Autrement dit, pourquoi, pourquoi est-ce qu'il se tracassait comme ça ?

Vous avez bien entendu – faute, défaut, quelque chose qui ne va pas, quelque chose dérape dans ce qui manifestement est visé, et puis ça commence comme ça tout de suite – le bien et le bonheur. Du bi, du bien, du benêt !

2

La réalité est abordée avec les appareils de la jouissance.

Voilà encore une formule que je vous propose, si tant est

que nous centrions bien sur ceci que d'appareil, il n'y en a pas d'autre que le langage. C'est comme ça que, chez l'être parlant, la jouissance est appareillée.

C'est ce que dit Freud, si nous corrigeons l'énoncé du principe du plaisir. Il l'a dit comme ça parce qu'il y en avait d'autres qui avaient parlé avant lui, et que c'était la façon qui lui paraissait la plus audible. C'est très facile à repérer, et la conjonction d'Aristote avec Freud aide à ce repérage.

Je pousse plus loin, au point où maintenant ça peut se faire, en disant que l'inconscient est structuré comme un langage. A partir de là, ce langage s'éclaire sans doute de se poser comme appareil de la jouissance. Mais inversement, peut-être la jouissance montre-t-elle qu'en elle-même elle est en défaut – car, pour que ce soit comme ça, il faut que quelque chose de son côté boite.

La réalité est abordée avec les appareils de la jouissance. Ça ne veut pas dire que la jouissance est antérieure à la réalité. C'est là aussi un point où Freud a prêté à malentendu quelque part – vous le trouverez dans ce qui est classé en français comme les *Essais de Psychanalyse* – en parlant de développement.

Il y a, dit Freud, un *Lust-Ich* avant un *Real-Ich*. C'est là un glissement, un retour à l'ornière, cette ornière que j'appelle le développement, et qui n'est qu'une hypothèse de la maîtrise. Soi-disant que le bébé, rien à faire avec le *Real-Ich*, pauvre lardon, incapable de la moindre idée de ce que c'est que le réel. C'est réservé aux gens que nous connaissons, ces adultes dont, par ailleurs, il est expressément dit qu'ils ne peuvent jamais arriver à se réveiller – quand il arrive dans leur rêve quelque chose qui menacerait de passer au réel, ça les affole tellement qu'aussitôt ils se réveillent, c'est-à-dire qu'ils continuent à rêver. Il suffit de lire, il suffit d'y être un peu, il suffit de les voir vivre, il suffit de les avoir en psychanalyse, pour s'apercevoir ce que ça veut dire, le développement.

Quand on dit *primaire* et *secondaire* pour les processus, il y a peut-être là une façon de dire qui fait illusion. Disons en tout cas que ce n'est pas parce qu'un processus est dit primaire – on peut bien les appeler comme on veut après tout – qu'il apparaît le premier. Quant à moi, je n'ai jamais regardé un bébé en ayant le sentiment qu'il n'y avait pas pour lui de monde extérieur. Il est tout à fait manifeste qu'il ne regarde que ça, et que ça l'excite, et ce, mon Dieu, dans la proportion exacte où il ne parle pas encore. A partir du moment où il parle, à partir de ce moment-là très exactement, pas avant, je comprends qu'il y ait du refoulement. Le processus du *Lust-Ich* est peut-être primaire, pourquoi pas, il est évidemment primaire dès que nous commencerons à penser, mais il n'est certainement pas le premier.

Le développement se confond avec le développement de la maîtrise. C'est là qu'il faut avoir un peu d'oreille, comme pour la musique – je suis *m'être,* je progresse dans la *m'êtrise,* je suis *m'être* de moi comme de l'univers. C'est bien là ce dont je parlais tout à l'heure, le *convaincu.* L'univers, c'est une fleur de rhétorique. Cet écho littéraire pourrait peut-être aider à comprendre que le moi peut être aussi fleur de rhétorique, qui pousse du pot du principe du plaisir, que Freud appelle *Lustprinzip,* et que je définis de ce qui se satisfait du blablabla.

C'est ça que je dis quand je dis que l'inconscient est structuré comme un langage. Il faut que je mette les points sur les i. L'univers – vous pouvez peut-être tout de même maintenant vous rendre compte, à cause de la façon dont j'ai accentué l'usage de certains mots, le tout et le pastout, et leur application différente dans les deux sexes – l'univers, c'est là où, de dire, tout réussit.

Est-ce que je vais me mettre à faire là du William James ? Réussit à quoi ? Je peux vous dire la réponse, au point où, avec le temps, j'espère avoir fini par vous faire arriver – réussit à faire rater le rapport sexuel, de la façon mâle.

Normalement, je devrais recueillir ici des ricanements – hélas, rien ne paraît. Les ricanements devraient vouloir dire – *Ah, vous voilà donc pris, deux manières de la rater, l'affaire, le rapport sexuel.* C'est comme ça que se module la musique de l'épithalame. L'épithalame, le duo – il faut distinguer les deux –, l'alternance, la lettre d'amour, ce n'est pas le rapport sexuel. Ils tournent autour du fait qu'il n'y a pas de rapport sexuel.

Il y a donc la façon mâle de tourner autour, et puis l'autre, que je ne désigne pas autrement parce que c'est ça que cette année je suis en train d'élaborer – comment, de la façon femelle, ça s'élabore. Ça s'élabore du pas-tout. Seulement, comme jusqu'ici ça n'a pas beaucoup été exploré, le pas-tout, ça me donne évidemment un peu de mal.

Là-dessus, je vais vous en raconter une bien bonne pour vous distraire un peu.

Au milieu de mes sports d'hiver, j'ai cru devoir, pour tenir une parole, me véhiculer jusqu'à Milan par le chemin de fer, ce qui faisait une journée entière d'y aller. Bref, j'ai été à Milan, et comme je ne peux pas ne pas rester au point où j'en suis, je suis comme ça – j'ai dit que je referai *L'Éthique de la psychanalyse,* mais c'est parce que je la réextrais – j'avais donné ce titre absolument fou pour une conférence aux Milanais, qui n'ont jamais entendu parler de ça, *La psychanalyse dans sa référence au rapport sexuel.* Ils sont très intelligents. Ils ont tellement bien entendu qu'aussitôt, le soir même, dans le journal, c'était écrit – *Pour le docteur Lacan, les dames,* le donne, *n'existent pas !*

C'est vrai, que voulez-vous, si le rapport sexuel n'existe pas, il n'y a pas de dames. Il y avait une personne qui était furieuse, c'était une dame du MLF de là-bas. Elle était vraiment… je lui ai dit – *Venez demain matin, je vous expliquerai de quoi il s'agit.*

Cette affaire du rapport sexuel, s'il y a un point d'où ça pourrait s'éclairer, c'est justement du côté des dames, pour autant que c'est de l'élaboration du pas-tout qu'il s'agit de frayer la voie. C'est mon vrai sujet de cette année, derrière cet *Encore,* et c'est un des sens de mon titre. Peut-être arriverai-je ainsi à faire sortir du nouveau sur la sexualité féminine.

Il y a une chose qui de ce pas-tout donne un témoignage éclatant. Voyez comment, avec une de ces nuances, de ces oscillations de signification qui se produisent dans la langue, le pas-tout change de sens quand je vous dis – *nos collègues les dames analystes, sur la sexualité féminine elles ne nous disent… pas tout !* C'est tout à fait frappant. Elles n'ont pas fait avancer d'un bout la question de la sexualité féminine. Il doit y avoir à ça une raison interne, liée à la structure de l'appareil de la jouissance.

3

J'en reviens à ce que tout à l'heure je me soulevais comme objections à moi-même, bien tout seul, à savoir qu'il y avait une façon de rater le rapport sexuel mâle, et puis une autre. Ce ratage est la seule forme de réalisation de ce rapport si, comme je le pose, il n'y a pas de rapport sexuel. Donc dire *tout réussit* n'empêche pas de dire *pas-tout réussit,* parce que c'est de la même manière – ça rate. Il ne s'agit pas d'analyser comment ça réussit. Il s'agit de répéter jusqu'à plus soif pourquoi ça rate.

Ça rate. C'est objectif. J'y ai déjà insisté. C'est même tellement frappant que c'est objectif que c'est là-dessus qu'il faut centrer, dans le discours analytique, ce qu'il en est de l'objet. Le ratage, c'est l'objet.

Je l'ai déjà dit depuis longtemps, le bon et le mauvais objet, en quoi ils diffèrent. Il y a le bon, il y a le mauvais, oh là là ! Justement, aujourd'hui, j'essaie d'en partir, de ce qui a affaire avec le bon, le bien, et de ce qu'énonce Freud. L'objet, c'est un raté. L'essence de l'objet, c'est le ratage.

Vous remarquerez que j'ai parlé de l'essence, tout comme Aristote. Et après ? Ça veut dire que ces vieux mots sont tout à fait utilisables. Dans un temps où je piétinais moins qu'aujourd'hui, c'est à cela que je suis passé tout de suite après Aristote. J'ai dit que, si quelque chose avait un peu aéré l'atmosphère après tout ce piétinement grec autour de l'eudémonisme, c'était bien la découverte de l'utilitarisme.

Ça n'a fait sur les auditeurs que j'avais alors ni chaud ni froid, parce que l'utilitarisme, ils n'en avaient jamais entendu parler – de sorte qu'ils ne pouvaient pas faire d'erreur, et qu'ils ne pouvaient pas croire que c'était le recours à l'utilitaire. Je leur ai expliqué ce que c'était que l'utilitarisme au niveau de Bentham, c'est-à-dire pas du tout ce qu'on croit, et qu'il faut pour le comprendre lire la *Theory of Fictions*.

L'utilitarisme, ça ne veut pas dire autre chose que ça – les vieux mots, ceux qui servent déjà, c'est à quoi ils servent qu'il faut penser. Rien de plus. Et ne pas s'étonner du résultat quand on s'en sert. On sait à quoi ils servent, à ce qu'il y ait la jouissance qu'il faut. A ceci près que – équivoque entre *faillir* et *falloir* – la jouissance qu'il faut est à traduire la jouissance qu'il ne faut pas.

Oui, j'enseigne là quelque chose de positif. Sauf que ça s'exprime par une égat ion. Et pourquoi ne serait-ce pas aussi positif qu'autre chose ?

Le nécessaire – ce que je vous propose d'accentuer de ce mode – est ce qui ne cesse pas, de quoi ? – de s'écrire. C'est une très bonne façon de répartir au moins quatre catégories modales. Je vous expliquerai ça une autre fois, mais je vous en donne un petit bout de plus pour cette fois-ci. Ce qui ne cesse pas de ne pas s'écrire, c'est une catégorie modale qui n'est pas celle que vous auriez attendue pour s'opposer au nécessaire, qui aurait été plutôt le contingent. Figurez-vous que le nécessaire est conjugué à l'impossible, et que ce *ne cesse pas de ne pas s'écrire*, c'en est l'articulation. Ce qui se produit, c'est la jouissance qu'il ne faudrait pas. C'est là le corrélat de ce qu'il n'y ait pas de rapport sexuel, et c'est le substantiel de la fonction phallique.

Je reprends maintenant au niveau du texte. C'est la jouissance qu'il ne faudrait pas – conditionnel. Ce qui nous suggère pour son emploi la protase, l'apodose. S'il n'y avait pas ça, ça irait mieux – conditionnel dans la seconde partie. C'est là implication matérielle, celle dont les Stoïciens se sont aperçus que c'était peut-être ce qu'il y avait de plus solide dans la logique.

La jouissance donc, comment allons-nous exprimer ce qu'il ne faudrait pas à son propos, sinon par ceci – s'il y en avait une autre que la jouissance phallique, il ne faudrait pas que ce soit celle-là.

C'est très joli. Il faut user, mais user vraiment, user jusqu'à la corde de choses comme ça, bêtes comme chou, des vieux mots. C'est ça, l'utilitarisme. Et ça a permis un grand pas pour décoller des vieilles histoires d'universaux où on était engagé depuis Platon et Aristote, qui avaient traîné pendant tout le Moyen Age, et qui étouffaient encore Leibniz, au point qu'on se demande comment il a été aussi intelligent.

S'il y en avait une autre, il ne faudrait pas que ce soit celle-là.

Qu'est-ce que ça désigne, *celle-là* ? Est-ce que ça désigne ce qui, dans la phrase, est l'autre, ou celle d'où nous sommes partis pour désigner cette autre comme autre ? Ce que je dis là se soutient au niveau de l'implication matérielle parce que la première partie désigne quelque chose de faux – *S'il y en avait une autre*, mais il n'y en a pas d'autre que la jouissance phallique – sauf celle sur laquelle la femme ne souffle mot, peut-être parce qu'elle ne la connaît pas, celle qui la fait pas-toute. Il est faux qu'il y en ait une autre, ce qui n'empêche pas la suite d'être vraie, à savoir qu'il ne faudrait pas que ce soit celle-là.

Vous voyez que c'est tout à fait correct. Quand le vrai se déduit du faux, c'est valable. Ça colle, l'implication. La seule chose qu'on ne peut pas admettre, c'est que du vrai suive le faux. Pas mal foutue, la logique. Qu'ils se soient aperçus de ça tout seuls, ces Stoïciens, c'est fort. Il ne faut pas croire que c'étaient des choses qui n'avaient pas de rapport avec la jouissance. Il suffit de réhabiliter ces termes.

Il est faux qu'il y en ait une autre. Cela ne nous empêchera pas de jouer une fois de plus de l'équivoque, à partir de *faux*, et de dire qu'il ne *faux-drait* pas que ce soit celle-là. Supposez qu'il y en ait une autre – mais justement il n'y en a pas. Et, du même coup, c'est pas parce qu'il n'y en a pas, et que c'est de ça que dépend le *il ne faudrait pas*, que le couperet n'en tombe pas moins sur celle dont nous sommes partis. Il faut que celle-là soit, faute – entendez-le comme culpabilité – faute de l'autre, qui n'est pas.

Cela nous ouvre latéralement, je vous le dis au passage, un petit aperçu qui a tout son poids dans une métaphysique. Il peut arriver des cas où, au lieu que ce soit nous qui allions chercher un truc pour nous rassurer dans cette mangeoire de la métaphysique, nous puissions, nous aussi, lui refiler quelque chose. Eh bien, que le non-être ne soit pas, il ne faut pas oublier que cela est porté par la parole au compte de l'être dont c'est la faute. C'est vrai que c'est sa faute, parce que si l'être n'existait pas, on serait bien plus tranquille avec cette question du non-être, et c'est donc bien mérité qu'on le lui reproche, et qu'il soit en faute.

C'est bien pour ça aussi – et c'est ce qui me met en rage à l'occasion, c'est de là que je suis parti d'ailleurs, je suppose que vous ne vous en souvenez pas – que quand je m'oublie au point de *p'oublier,* c'est-à-dire de *tout-blier* – il y a du tout là-dedans – je mérite d'écoper que ce soit de moi qu'on parle, et pas du tout de mon livre. Exactement comme ça se passait à Milan. Ce n'est peut-être pas tout à fait de moi qu'on parlait quand on disait que pour moi les dames n'existent pas, mais ce n'était certainement pas de ce que je venais de dire.

En somme cette jouissance, si elle vient à celui qui parle, et pas pour rien, c'est parce que c'est un petit prématuré. Il a quelque chose à faire avec ce fameux rapport sexuel dont il n'aura que trop l'occasion de s'apercevoir qu'il n'existe pas. C'est donc bien plutôt en second qu'en premier. Dans Freud, il y en a des traces. S'il a parlé d'*Urverdrängung*, de refoulement primordial, c'est bien parce que justement le vrai, le bon, le refoulement de tous les jours, n'est pas premier – il est second.

On la refoule, ladite jouissance, parce qu'il ne convient pas qu'elle soit dite, et ceci pour la raison justement que le dire n'en peut être que ceci – comme jouissance, elle ne convient pas. Je l'ai déjà avancé tout à l'heure par ce biais qu'elle n'est pas celle qu'il faut, mais celle qu'il ne faut pas.

Le refoulement ne se produit qu'à attester dans tous les dires, dans le moindre des dires, ce qu'implique ce dire que je viens d'énoncer, que la jouissance ne convient pas – *non decet* – au rapport sexuel. A cause de ce qu'elle parle, ladite jouissance, lui, le rapport sexuel, n'est pas.

C'est bien pour ça qu'elle fait mieux de se taire, avec le résultat que ça rend l'absence même du rapport sexuel encore un peu plus lourde. Et c'est bien pour ça qu'en fin de compte, elle ne se tait pas et que le premier effet du refoulement, c'est qu'elle parle d'autre chose. C'est ce qui fait de la métaphore le ressort.

Voilà. Vous voyez le rapport de tout ça avec l'utilité. C'est utilitaire. Ça vous rend capable de servir à quelque chose, et cela faute de savoir jouir autrement qu'à être joui, ou joué, puisque c'est justement la jouissance qu'il ne faudrait pas.

4

C'est à partir de ce pas à pas qui m'a fait aujourd'hui scander quelque chose d'essentiel, qu'il nous faut aborder cet éclairage que peuvent prendre l'un de l'autre Aristote et Freud. Il nous faut interroger comment leurs dires pourraient bien s'épingler, se traverser l'un l'autre.

Aristote au livre sept de ladite *Éthique à Nicomaque* pose la question du plaisir. Ce qui lui paraît le plus sûr, à se référer à la jouissance, ni plus ni moins, c'est que le plaisir ne peut que se distinguer des besoins, de ces besoins dont je suis parti dans ma première phrase, et dont il encadre ce dont il s'agit dans la génération. Les besoins se rapportent au mouvement. Aristote, en effet, a mis au centre de son monde – ce monde qui a maintenant à jamais foutu le camp à vau-l'eau – le moteur immobile, après quoi vient immédiatement le mouvement qu'il cause, et un peu plus loin encore ce qui naît et ce qui meurt, ce qui s'engendre et se corrompt. C'est là que les besoins se situent. Les besoins, ça se satisfait par le mouvement.

Chose étrange, comment se fait-il que nous devions retrouver ça sous la plume de Freud, mais dans l'articulation du principe du plaisir ? Quelle équivoque fait que, dans Freud, le principe du plaisir ne s'évoque que de ce qui vient d'excitation, et de ce que cette excitation provoque de mouvement pour s'y dérober ? Étrange que ce soit là ce que Freud énonce comme principe du plaisir, alors que dans Aristote, ce peut être considéré que comme une atténuation de peine, et sûrement pas comme un plaisir.

Si Aristote vient à épingler quelque part ce qu'il en est du plaisir, ce ne saurait être que dans ce qu'il appelle ἐνέργεια, une activité.

Chose très étrange, le premier des exemples qu'il en

donne, et non sans cohérence, c'est le voir – c'est où pour lui réside le plaisir suprême, celui qu'il distingue du niveau de la γένεσις, de la génération de quelque chose, celui qui se produit du cœur, du centre du pur plaisir. Nulle peine n'a besoin de précéder le fait que nous voyons pour que voir soit un plaisir. C'est amusant qu'ayant posé ainsi la question, il lui faille mettre en avant quoi ? – ce que le français ne peut traduire autrement, faute de mot qui ne soit équivoque, que par *l'odorer*. Aristote met ici sur le même plan l'olfaction et la vision. Si opposé que ce second sens semble au premier, le plaisir s'en trouve, dit-il, supporté. Il y ajoute troisièmement l'entendre.

Nous arrivons tout près de 13 h 45. Pour vous repérer dans la voie où nous avançons, souvenez-vous du pas que nous avons fait tout à l'heure, en formulant que la jouissance se réfère centralement à celle-là qu'il ne faut pas, qu'il ne faudrait pas pour qu'il y ait du rapport sexuel, et y reste tout entière accrochée. Eh bien, ce qui surgit sous l'épinglage dont le désigne Aristote, c'est très exactement ce que l'expérience analytique nous permet de repérer comme étant, d'au moins un côté de l'identification sexuelle, du côté mâle, l'objet –, l'objet qui se met à la place de ce qui, de l'Autre, ne saurait être aperçu. C'est pour autant que l'objet *a* joue quelque part – et d'un départ, d'un seul, du mâle – le rôle de ce qui vient à la place du partenaire manquant, que se constitue ce que nous avons l'usage de voir surgir aussi à la place du réel, à savoir le fantasme.

Je suis presque au regret d'en avoir de cette façon dit assez, ce qui veut toujours dire trop. Car il faut voir la différence radicale de ce qui se produit de l'autre côté, à partir de la femme.

La prochaine fois, j'essaierai d'énoncer d'une façon qui se tienne – et soit assez complète pour que vous puissiez vous en supporter le temps que durera ensuite la reprise,

c'est-à-dire un demi-mois – que, du côté de la femme –
mais marquez ce *la* du trait oblique dont je désigne ce qui
doit se barrer – du côté de L*a* femme, c'est d'autre chose
que de l'objet *a* qu'il s'agit dans ce qui vient à suppléer ce
rapport sexuel qui n'est pas.

13 FÉVRIER 1973.

VI

DIEU ET LA JOUISSANCE DE LA FEMME

> *Lire-aimer, haïr.*
> *Les matérialistes.*
> *Jouissance de l'être.*
> *Le mâle, pervers polymorphe.*
> *Les mystiques.*

Il y a longtemps que je désirerais vous parler en me promenant un petit peu entre vous. Aussi espérais-je, je peux bien vous l'avouer, que les vacances dites scolaires auraient éclairci votre assistance.

Puisque cette satisfaction m'est refusée, j'en reviens à ce dont je suis parti la dernière fois, que j'ai appelé *une autre satisfaction*, la satisfaction de la parole.

Une autre satisfaction, c'est celle qui répond à la jouissance qu'il fallait juste, juste pour que ça se passe entre ce que j'abrégerai de les appeler l'homme et la femme. C'est-à-dire celle qui répond à la jouissance phallique.

Notez ici la modification qu'introduit ce mot – *juste*. Ce *juste*, ce *justement* est un *tout juste*, un *tout juste réussi,* ce qui donne l'envers du raté – ça réussit tout juste. Nous voyons déjà là justifié ce qu'Aristote apporte de la notion de la justice comme le juste milieu.

Peut-être certains d'entre vous ont-ils vu, quand j'ai introduit ce *tout* qui est dans *tout juste*, que j'ai fait là une sorte de contournement pour éviter le mot de *prosdiorisme*, qui désigne ce tout, qui ne manque dans aucune langue. Eh bien, que ce soit le prosdiorisme, le tout, qui

vienne en l'occasion à nous faire glisser de la justice
d'Aristote à la justesse, à la réussite de justesse, c'est bien
là ce qui me légitime d'avoir d'abord produit cette entrée
d'Aristote. En effet, n'est-ce pas, ça ne se comprend pas
tout de suite comme ça.

Si Aristote ne se comprend pas si aisément, en raison de
la distance qui nous sépare de lui, c'est bien là ce qui me
justifiait quant à moi à vous dire que lire ne nous oblige
pas du tout à comprendre. Il faut lire d'abord.

1

C'est ce qui fait qu'aujourd'hui, et d'une façon qui
apparaîtra peut-être à certains de paradoxe, je vous
conseillerai de lire un livre dont le moins qu'on puisse
dire est qu'il me concerne. Ce livre s'appelle *Le Titre de
la lettre*, et il est paru aux éditions Galilée, collection *A la
lettre*. Je ne vous en dirai pas les auteurs, qui me semblent
en l'occasion jouer plutôt le rôle de sous-fifres.

Ce n'est pas pour autant diminuer leur travail, car je dirai
que, quant à moi, c'est avec la plus grande satisfaction que
je l'ai lu. Je désirerai soumettre votre auditoire à l'épreuve
de ce livre, écrit dans les plus mauvaises intentions,
comme vous pourrez le constater à la trentaine de dernières
pages. Je ne saurais trop en encourager la diffusion.

Je peux dire d'une certaine façon que, s'il s'agit de lire,
je n'ai jamais été si bien lu – avec tellement d'amour.
Bien sûr, comme il s'avère par la chute du livre, c'est un
amour dont le moins qu'on puisse dire est que sa doublure
habituelle dans la théorie analytique n'est pas sans pouvoir être évoquée.

Mais c'est trop dire. Peut-être même est-ce trop en dire
que de mettre là-dedans, d'une façon quelconque, les
sujets. Ce serait peut-être trop les reconnaître en tant que
sujets que d'évoquer leurs sentiments.

Disons donc que c'est un modèle de bonne lecture, au point que je peux dire que je regrette de n'avoir jamais obtenu, de ceux qui me sont proches, rien qui soit équivalent.

Les auteurs ont cru devoir se limiter – et, mon Dieu, pourquoi ne pas les en complimenter, puisque la condition d'une lecture, c'est évidemment qu'elle s'impose à elle-même des limites – à un article recueilli dans mes *Écrits*, qui s'appelle *L'Instance de la lettre*.

Partant de ce qui me distingue de Saussure, et qui fait que je l'ai, comme ils disent, détourné, ils mènent, de fil en aiguille, à cette impasse que je désigne concernant ce qu'il en est dans le discours analytique de l'abord de la vérité et de ses paradoxes. C'est là sans doute quelque chose qui à la fin, et je n'ai pas autrement à le sonder, échappe à ceux qui se sont imposé cet extraordinaire travail. Tout se passe comme si c'était justement de l'impasse où mon discours est fait pour les mener qu'ils se tiennent quittes, et qu'ils se déclarent – ou me déclarent, ce qui revient au même au point où ils en parviennent – être quinauds. Il se trouve tout à fait indiqué par là que vous vous affrontiez vous-mêmes à leurs conclusions, dont vous verrez qu'on peut les qualifier de sans-gêne. Jusqu'à ces conclusions, le travail se poursuit d'une façon où je ne puis reconnaître qu'une valeur d'éclaircissement tout à fait saisissante – si cela pouvait par hasard éclaircir un peu vos rangs, je n'y verrais pour moi qu'avantages, mais après tout, je ne suis pas sûr – pourquoi, puisque vous êtes toujours ici aussi nombreux, ne pas vous faire confiance ? – que rien enfin vous rebute.

A part, donc, ces trente ou vingt dernières pages – à la vérité, ce sont celles-là seulement que j'ai lues en diagonale – les autres vous seront d'un confort que, somme toute, je peux vous souhaiter.

2

Là-dessus, je poursuis ce que j'ai aujourd'hui à vous dire, c'est à savoir, articuler plus loin la conséquence de ce fait qu'entre les sexes chez l'être parlant le rapport ne se fait pas, pour autant que c'est à partir de là seulement que se peut énoncer ce qui, à ce rapport, supplée.

Il y a longtemps que j'ai scandé d'un certain *Y a d' l'Un* ce qui fait le premier pas dans cette démarche. Ce *Y a d' l'Un* n'est pas simple – c'est le cas de le dire. Dans la psychanalyse, ou plus exactement dans le discours de Freud, cela s'annonce de l'Éros défini comme fusion qui du deux fait un, de l'Éros qui, de proche en proche, est censé tendre à ne faire qu'un d'une multitude immense. Mais, comme il est clair que même vous tous, tant que vous êtes ici, multitude assurément, non seulement ne faites pas un, mais n'avez aucune chance d'y parvenir – comme il ne se démontre que trop, et tous les jours, fût-ce à communier dans ma parole – il faut bien que Freud fasse surgir un autre facteur à faire obstacle à cet Éros universel, sous la forme du Thanatos, la réduction à la poussière.

C'est évidemment métaphore permise à Freud par la bienheureuse découverte des deux unités du germen, l'ovule et le spermatozoïde, dont grossièrement l'on pourrait dire que c'est de leur fusion que s'engendre quoi ? – un nouvel être. A ceci près que la chose ne va pas sans une méiose, sans une soustraction tout à fait manifeste, au moins pour l'un des deux, juste d'avant le moment même où la conjonction se produit, une soustraction de certains éléments qui ne sont pas pour rien dans l'opération finale.

Mais la métaphore biologique est assurément ici encore beaucoup moins qu'ailleurs, ce qui peut suffire à nous conforter. Si l'inconscient est bien ce que je dis, d'être structuré comme un langage, c'est au niveau de la langue qu'il nous faut interroger cet Un. Cet Un, la suite des siècles lui a fait résonance infinie. Ai-je besoin ici d'évoquer les néoplatoniciens ? Peut-être aurai-je encore tout à l'heure à mentionner très rapidement cette aventure, puisque ce qu'il me faut aujourd'hui, c'est très proprement désigner d'où la chose, non seulement peut, mais doit être prise de notre discours, et de ce renouvellement qu'apporte dans le domaine de l'Éros notre expérience.

Il faut bien partir de ceci que ce *Y a d' l'Un* est à prendre de l'accent qu'il y a de l'Un tout seul. C'est de là que se saisit le nerf de ce qu'il nous faut bien appeler du nom dont la chose retentit tout au cours des siècles, à savoir l'amour.

Dans l'analyse, nous n'avons affaire qu'à ça, et ce n'est pas par une autre voie qu'elle opère. Voie singulière à ce qu'elle seule ait permis de dégager ce dont, moi qui vous parle, j'ai cru devoir supporter le transfert, en tant qu'il ne se distingue pas de l'amour, de la formule *le sujet supposé savoir*.

Je ne puis pas manquer de marquer la résonance nouvelle que peut prendre pour vous ce terme de savoir. Celui à qui je suppose le savoir, je l'aime. Tout à l'heure, vous m'avez vu flotter, reculer, hésiter à verser d'un sens ou de l'autre, du côté de l'amour ou de ce qu'on appelle la haine, lorsque je vous invitais de façon pressante à prendre part à une lecture dont la pointe est faite expressément pour me déconsidérer – ce qui n'est certes pas devant quoi peut reculer quelqu'un qui ne parle en somme que de la dé-sidération, et qui ne vise rien d'autre. C'est que, là où cette pointe paraît aux auteurs soutenable, c'est justement d'une dé-supposition de mon savoir. Si j'ai dit qu'ils me haïssent, c'est qu'ils me dé-supposent le savoir.

Et pourquoi pas ? Pourquoi pas, s'il s'avère que ce doit être là la condition de ce que j'ai appelé la lecture ? Après tout, que puis-je présumer de ce que savait Aristote ? Peut-être le lirais-je mieux à mesure que ce savoir, je le lui supposerai moins. Telle est la condition d'une stricte mise à l'épreuve de la lecture, et c'est celle dont je ne m'esquive pas.

Ce qu'il nous est offert de lire par ce qui, du langage, existe, à savoir ce qui vient à se tramer d'effet de son ravinement – c'est ainsi que j'en définis l'écrit – ne peut être méconnu. Aussi serait-il dédaigneux de ne pas au moins faire écho à ce qui, au cours des âges, s'est élaboré sur l'amour, d'une pensée qui s'est appelée – je dois dire improprement – philosophique.

Je ne vais pas faire ici une revue générale de la question. Il me semble que, vu le genre de têtes que je vois ici faire flocon, vous devez avoir entendu dire que, du côté de la philosophie, l'amour de Dieu a tenu une certaine place. Il y a là un fait massif dont, au moins latéralement, le discours analytique ne peut pas ne pas tenir compte.

Je rappellerai ici un mot qui fut dit après que j'ai été, comme on s'exprime dans ce livret, exclu de Sainte-Anne – en fait, je n'ai pas été exclu, je me suis retiré, c'est très différent, mais qu'importe, nous n'en sommes pas là, d'autant plus que le terme d'exclu a dans notre topologie toute son importance. Des personnes bien intentionnées – c'est bien pire que celles qui le sont mal – se sont trouvées surprises d'avoir écho que je mettais entre l'homme et la femme un certain Autre qui avait bien l'air d'être le bon vieux Dieu de toujours. Ce n'était qu'un écho, dont elles se faisaient les véhicules bénévoles. Ces personnes étaient, mon Dieu, il faut bien le dire, de la pure tradition philosophique, et de celles qui se réclament du matérialisme – c'est bien en cela que je la dis pure, car il n'y a rien de plus philosophique que le matérialisme. Le matérialisme se croit obligé, Dieu sait pourquoi c'est le cas de le dire, d'être en garde contre ce Dieu dont j'ai dit qu'il a dominé dans la philosophie tout le débat de l'amour. Aussi ces personnes, à l'intervention chaleureuse de qui je devais une audience renouvelée, manifestaient-elles une certaine gêne.

Pour moi, il me paraît sensible que l'Autre, avancé au temps de *L'Instance de la lettre* comme lieu de la parole, était une façon, je ne peux pas dire de laïciser, mais d'exorciser le bon vieux Dieu. Après tout, il y a bien des gens qui me font compliment d'avoir su poser dans un de mes derniers séminaires que Dieu n'existait pas. Évidemment, ils entendent – ils entendent, mais hélas, ils comprennent, et ce qu'ils comprennent est un peu précipité.

Je m'en vais peut-être plutôt vous montrer aujourd'hui en quoi justement il existe, ce bon vieux Dieu. Le mode sous lequel il existe ne plaira peut-être pas à tout le monde, et notamment pas aux théologiens qui sont, je l'ai dit depuis longtemps, bien plus forts que moi à se passer de son existence. Malheureusement, je ne suis pas tout à fait dans la même position, parce que j'ai affaire à l'Autre. Cet Autre, s'il n'y en a qu'un tout seul, doit bien avoir quelque rapport avec ce qui apparaît de l'autre sexe.

Là-dessus, je ne me suis pas refusé, dans cette année que j'évoquais la dernière fois, de l'*Éthique de la psychanalyse*, à me référer à l'amour courtois. Qu'est-ce que c'est ?

C'est une façon tout à fait raffinée de suppléer à l'absence de rapport sexuel, en feignant que c'est nous qui y mettons obstacle. C'est vraiment la chose la plus formidable qu'on ait jamais tentée. Mais comment en dénoncer la feinte ?

Au lieu d'être là à flotter sur le paradoxe que l'amour courtois soit apparu à l'époque féodale, les matérialistes devraient y voir une magnifique occasion de montrer au contraire comment il s'enracine dans le discours de la féalité, de la fidélité à la personne. Au dernier terme, la personne, c'est toujours le discours du maître. L'amour courtois, c'est pour l'homme, dont la dame était entièrement, au sens le plus servile, la sujette, la seule façon de se tirer avec élégance de l'absence du rapport sexuel.

C'est dans cette voie que j'aurai affaire – plus tard, car il me faut aujourd'hui fendre un certain champ – à la notion

de l'obstacle, à ce qui, dans Aristote – malgré tout, je pré-
fère Aristote à Geoffrey Rudel – s'appelle justement
l'obstacle, l'ἔνστασις.

Mes lecteurs – dont, je vous le répète, il faut tous que
vous achetiez tout à l'heure le livre – mes lecteurs ont
même trouvé ça. L'instance, ils l'interrogent avec un soin,
une précaution… – je vous le dis, je n'ai jamais vu un seul
de mes élèves faire un travail pareil, hélas, personne ne
prendra jamais au sérieux ce que j'écris, sauf bien entendu
ceux dont j'ai dit tout à l'heure qu'ils me haïssent sous
prétexte qu'ils me dé-supposent le savoir. Ils ont été jusqu'à découvrir l'ἔνστασις, l'obstacle logique aristotélicien, que j'avais gardé pour la bonne bouche. Il est vrai
qu'ils ne voient pas le rapport. Mais ils sont tellement bien
habitués à travailler, surtout quand quelque chose les
anime – le désir par exemple de décrocher une maîtrise,
c'est le cas de le dire plus que jamais – qu'ils ont sorti ça,
dans la note de la page 28-29.

Vous consulterez Aristote, et vous saurez tout quand
j'aborderai enfin cette histoire de l'ἔνστασις. Vous pourrez lire à la suite le morceau de la *Rhétorique* et les deux
morceaux des *Topiques* qui vous permettront de savoir en
clair ce que je veux dire quand j'essaierai de réintégrer
dans Aristote mes quatre formules, le $\exists$x. $\overline{\Phi\text{x}}$ et la suite.

Enfin, pour en finir là-dessus, pourquoi les matérialistes,
comme on dit, s'indigneraient-ils que je mette, pourquoi
pas, Dieu en tiers dans l'affaire de l'amour humain ?
Même les matérialistes, il leur arrive quand même d'en
connaître un bout sur le ménage à trois, non ?

Alors essayons d'avancer. Essayons d'avancer sur ce
qui résulte de ceci, que rien ne témoigne que je ne sache
pas ce que j'ai à dire là ici où je vous parle. Ce qui ouvre
dès le départ de ce livre un décalage qui se poursuivra jusqu'à la fin, c'est qu'il me suppose – et avec ça, on peut
tout faire – une ontologie ou, ce qui revient au même, un
système.

L'honnêteté fait quand même que, dans le diagramme circulaire où, soi-disant, se noue ce que j'avance de l'instance de la lettre, c'est en lignes pointillées – à juste titre, car ils ne pèsent guère – que sont mis dans ce livre tous mes énoncés enveloppant les noms des principaux philosophes dans l'ontologie générale desquels j'insérerais mon prétendu système. Pourtant, il ne peut pas être ambigu qu'à l'être tel qu'il se soutient dans la tradition philosophique, c'est-à-dire qui s'assoit dans le penser lui-même censé en être le corrélat, j'oppose que nous sommes joués par la jouissance.

La pensée est jouissance. Ce qu'apporte le discours analytique, c'est ceci, qui était déjà amorcé dans la philosophie de l'être – il y a jouissance de l'être.

Si je vous ai parlé de l'*Éthique à Nicomaque*, c'est justement parce que la trace y est. Ce que cherche Aristote, et cela a ouvert la voie à tout ce qu'il a ensuite traîné après lui, c'est ce qu'est la jouissance de l'être. Un saint Thomas n'aura ensuite aucune peine à en forger la théorie physique de l'amour comme l'appelle l'abbé Rousselot dont je vous ai parlé la dernière fois – c'est à savoir qu'après tout, le premier être dont nous ayons bien le sentiment, c'est notre être, et tout ce qui est pour le bien de notre être sera, de ce fait, jouissance de l'Être Suprême, c'est-à-dire de Dieu. Pour tout dire, en aimant Dieu, c'est nous-mêmes que nous aimons, et à nous aimer d'abord nous-mêmes – charité bien ordonnée, comme on dit – nous faisons à Dieu l'hommage qui convient.

L'être – si l'on veut à tout prix que je me serve de ce terme – l'être que j'oppose à cela – et dont est forcé de témoigner dès ses premières pages de lecture, simplement lecture, ce petit volume – c'est l'être de la signifiance. Et je ne vois pas en quoi c'est déchoir aux idéaux du matérialisme – je dis *aux idéaux* parce que c'est hors des limites de son épure – que de reconnaître la raison de l'être de la signifiance dans la jouissance, la jouissance du corps.

Mais un corps, vous comprenez, depuis Démocrite, ça ne paraît pas assez matérialiste. Il faut trouver les atomes, et tout le machin, et la vision, l'odoration et tout ce qui s'ensuit. Tout ça est absolument solidaire.

Ce n'est pas pour rien qu'à l'occasion, Aristote, même s'il fait le dégoûté, cite Démocrite, car il s'appuie sur lui. En fait, l'atome est simplement un élément de signifiance volant, un στοιχεῖον tout simplement. A ceci près qu'on a toutes les peines du monde à s'en tirer quand on ne retient que ce qui fait l'élément élément, à savoir qu'il est unique, alors qu'il faudrait introduire un petit peu l'autre, à savoir la différence.

Maintenant, la jouissance du corps, s'il n'y a pas de rapport sexuel, il faudrait voir en quoi ça peut y servir.

3

Prenons d'abord les choses du côté où tout x est fonction de Φx, c'est-à-dire du côté où se range l'homme.

On s'y range, en somme, par choix – libre aux femmes de s'y placer si ça leur fait plaisir. Chacun sait qu'il y a des femmes phalliques, et que la fonction phallique n'empêche pas les hommes d'être homosexuels. Mais c'est aussi bien elle qui leur sert à se situer comme hommes, et aborder la femme. Pour l'homme je vais vite, parce que ce dont j'ai à parler est aujourd'hui la femme et que je suppose que je vous l'ai déjà assez seriné pour que vous l'ayez encore dans la tête – pour l'homme, à moins de castration, c'est-à-dire de quelque chose qui dit non à la fonction phallique, il n'y a aucune chance qu'il ait jouissance du corps de la femme, autrement dit, fasse l'amour.

C'est le résultat de l'expérience analytique. Ça n'empêche pas qu'il peut désirer la femme de toutes les façons, même quand cette condition n'est pas réalisée. Non seulement il la désire, mais il lui fait toutes sortes de choses qui ressemblent étonnamment à l'amour.

Contrairement à ce qu'avance Freud, c'est l'homme – je veux dire celui qui se trouve mâle sans savoir qu'en faire, tout en étant être parlant – qui aborde la femme, qui peut croire qu'il l'aborde, parce qu'à cet égard, les convictions, celles dont je parlais la dernière fois, les *con-victions* ne manquent pas. Seulement, ce qu'il aborde, c'est la cause de son désir, que j'ai désignée de l'objet *a*. C'est là l'acte d'amour. Faire l'amour, comme le nom l'indique, c'est de la poésie. Mais il y a un monde entre la poésie et l'acte. L'acte d'amour, c'est la perversion polymorphe du mâle, cela chez l'être parlant. Il n'y a rien de plus assuré, de plus cohérent, de plus strict quant au discours freudien.

J'ai encore une demi-heure pour essayer de vous introduire, si j'ose m'exprimer ainsi, à ce qu'il en est du côté de la femme. Alors, de deux choses l'une – ou ce que j'écris n'a aucun sens, c'est d'ailleurs la conclusion du petit livre, et c'est pour ça que je vous prie de vous y reporter – ou, quand j'écris $\overline{\forall}x\Phi x$, cette fonction inédite où la négation porte sur le quanteur à lire *pas-tout,* ça veut dire que lorsqu'un être parlant quelconque se range sous la bannière des femmes c'est à partir de ceci qu'il se fonde de n'être pas-tout, à se placer dans la fonction phallique. C'est ça qui définit la… la quoi ? – la femme justement, à ceci près que *La* femme, ça ne peut s'écrire qu'à barrer *La*. Il n'y a pas *La* femme, article défini pour désigner l'universel. Il n'y a pas *La* femme puisque – j'ai déjà risqué le terme, et pourquoi y regarderais-je à deux fois ? – de son essence, elle n'est pas toute.

Je vois mes élèves beaucoup moins attachés à ma lecture que le moindre sous-fifre quand il est animé par le désir d'avoir une maîtrise, et il n'y a eu pas un seul qui n'ait fait je ne sais quel cafouillage sur le manque de signifiant, le signifiant du manque de signifiant, et autres bafouillages à propos du phallus, alors que je vous

désigne dans ce *la* le signifiant, malgré tout courant et
même indispensable. La preuve c'est que, déjà tout à
l'heure, j'ai parlé de l'homme et de *la* femme. C'est un
signifiant, ce *la*. C'est par ce *la* que je symbolise le signifiant dont il est indispensable de marquer la place, qui ne
peut pas être laissée vide. Ce *la* est un signifiant dont le
propre est qu'il est le seul qui ne peut rien signifier, et seulement de fonder le statut de *la* femme dans ceci qu'elle
n'est pas toute. Ce qui ne nous permet pas de parler de *La*
femme.

Il n'y a de femme qu'exclue par la nature des choses qui
est la nature des mots, et il faut bien dire que s'il y a
quelque chose dont elles-mêmes se plaignent assez pour
l'instant, c'est bien de ça – simplement, elles ne savent
pas ce qu'elles disent, c'est toute la différence entre elles
et moi.

Il n'en reste pas moins que si elle est exclue par la
nature des choses, c'est justement de ceci que, d'être pas
toute, elle a, par rapport à ce que désigne de jouissance la
fonction phallique, une jouissance supplémentaire.

Vous remarquerez que j'ai dit *supplémentaire*. Si j'avais
dit *complémentaire*, où en serions-nous ! On retomberait
dans le tout.

Les femmes s'en tiennent, aucune s'en tient d'être pas
toute, à la jouissance dont il s'agit, et, mon Dieu, d'une
façon générale, on aurait bien tort de ne pas voir que,
contrairement à ce qui se dit, c'est quand même elles qui
possèdent les hommes.

Le populaire – moi, j'en connais, ils ne sont pas forcément ici, mais j'en connais pas mal – le populaire appelle
la femme *la bourgeoise*. C'est ça que ça veut dire. C'est
lui qui l'est, à la botte, pas elle. Le phallus, son homme
comme elle dit, depuis Rabelais on sait que ça ne lui est
pas indifférent. Seulement, toute la question est là, elle a
divers modes de l'aborder, ce phallus, et de se le garder.
Ce n'est pas parce qu'elle est pas-toute dans la fonction

phallique qu'elle y est pas du tout. Elle y est *pas* pas du tout. Elle y est à plein. Mais il y a quelque chose en plus.

Cet *en plus*, faites attention, gardez-vous d'en prendre trop vite les échos. Je ne peux pas le désigner mieux ni autrement parce qu'il faut que je tranche, et que j'aille vite.

Il y a une jouissance, puisque nous nous en tenons à la jouissance, jouissance du corps, qui est, si je puis m'exprimer ainsi – pourquoi pas en faire un titre de livre ?, c'est pour le prochain de la collection Galilée – *au-delà du phallus*. Ce serait mignon, ça. Et ça donnerait une autre consistance au MLF. Une jouissance au-delà du phallus…

Vous vous êtes peut-être aperçus – je parle naturellement ici aux quelques semblants d'hommes que je vois par-ci par-là, heureusement que pour la plupart, je ne les connais pas, comme ça je ne préjuge de rien pour les autres – comme ça, de temps en temps, entre deux portes, qu'il y a quelque chose qui les secoue, les femmes, ou qui les secourt. Quand vous regarderez l'étymologie de ces deux mots dans ce Bloch et Von Wartburg dont je fais mes délices, et dont je suis sûr que vous ne l'avez même pas chacun dans votre bibliothèque, vous verrez le rapport qu'il y a entre eux. Ce n'est pas quelque chose qui arrive par hasard, quand même.

Il y a une jouissance à elle, à cette *elle* qui n'existe pas et ne signifie rien. Il y a une jouissance à elle dont peut-être elle-même ne sait rien, sinon qu'elle l'éprouve – ça, elle le sait. Elle le sait, bien sûr, quand ça arrive. Ça ne leur arrive pas à toutes.

Je ne voudrais pas en venir à traiter de la prétendue frigidité, mais il faut faire la part de la mode concernant les rapports entre les hommes et les femmes. C'est très important. Bien entendu, tout ça, dans le discours, hélas, de Freud comme dans l'amour courtois, est recouvert par de menues considérations qui ont exercé leurs ravages. Menues considérations sur la jouissance clitoridienne et sur la jouissance qu'on appelle comme on peut, l'autre justement, celle que je suis en train d'essayer de vous faire aborder par la voie logique, parce que jusqu'à nouvel ordre il n'y en a pas d'autre.

Ce qui laisse quelque chance à ce que j'avance, à savoir que, de cette jouissance, la femme ne sait rien, c'est que depuis le temps qu'on les supplie, qu'on les supplie à genoux – je parlais la dernière fois des psychanalystes femmes – d'essayer de nous le dire, eh bien, motus ! On n'a jamais rien pu en tirer. Alors on l'appelle comme on peut, cette jouissance, *vaginale*, on parle du pôle postérieur du museau de l'utérus et autres conneries, c'est le cas de le dire. Si simplement elle l'éprouvait et n'en savait rien, ça permettrait de jeter beaucoup de doutes du côté de la fameuse frigidité.

C'est là aussi un thème, un thème littéraire. Ça vaudrait quand même la peine qu'on s'y arrête. Je ne fais que ça depuis que j'ai vingt ans, explorer les philosophes sur le sujet de l'amour. Naturellement, je n'ai pas tout de suite centré ça sur l'affaire de l'amour, mais ça m'est venu dans un temps, avec justement l'abbé Rousselot dont je vous parlais tout à l'heure, et puis toute la querelle de l'amour physique et de l'amour extatique, comme ils disent. Je comprends que Gilson ne l'aie pas trouvée très bonne, cette opposition. Il a pensé que Rousselot avait fait là une découverte qui n'en était pas une, car ça faisait partie du problème, et l'amour est aussi extatique dans Aristote que dans saint Bernard à condition qu'on sache lire les chapitres sur la φιλία, l'amitié. Il y en a certains ici qui doivent savoir quand même quelle débauche de littérature s'est produite autour de ça, Deni de Rougemont – vous voyez ça, *L'Amour et l'Occident* ça barde ! – et puis un autre pas plus bête qu'un autre, qui s'appelle Nygren, un protestant, *Éros et Agapê*. Enfin, naturellement qu'on a fini dans le christianisme par inventer un Dieu tel que c'est lui qui jouit !

Il y a quand même un petit pont quand vous lisez certaines personnes sérieuses, comme par hasard des femmes. Je vais vous en donner quand même une indication, que je dois à une très gentille personne qui l'avait lu, et qui me l'a apporté. Je me suis rué là-dessus. Il faut que je l'écrive, sinon vous ne l'achèterez pas. C'est Hadewijch d'Anvers, une Béguine, ce qu'on appelle tout gentiment une mystique.

Moi, je n'emploie pas le mot mystique comme l'employait Péguy. La mystique, ce n'est pas tout ce qui n'est pas la politique. C'est quelque chose de sérieux, sur quoi nous renseignent quelques personnes, et le plus souvent des femmes, ou bien des gens doués comme saint Jean de la Croix – parce qu'on n'est pas forcé quand on est mâle, de se mettre du côté du $\forall x \Phi x$. On peut aussi se mettre du côté du pas-tout. Il y a des hommes qui sont aussi bien que les femmes. Ça arrive. Et qui du même coup s'en trouvent aussi bien. Malgré, je ne dis pas leur phallus, malgré ce qui les encombre à ce titre, ils entrevoient, ils éprouvent l'idée qu'il doit y avoir une jouissance qui soit au-delà. C'est ça, ce qu'on appelle des mystiques.

J'ai déjà parlé d'autres gens qui n'étaient pas si mal non plus du côté mystique, mais qui se situaient plutôt du côté de la fonction phallique, Angelus Silesius par exemple – confondre son œil contemplatif avec l'œil dont Dieu le regarde, ça doit bien, à force, faire partie de la jouissance perverse. Pour la Hadewijch en question, c'est comme pour sainte Thérèse – vous n'avez qu'à aller regarder à Rome la statue du Bernin pour comprendre tout de suite qu'elle jouit, ça ne fait pas de doute. Et de quoi jouit-elle ?

Il est clair que le témoignage essentiel des mystiques, c'est justement de dire qu'ils l'éprouvent, mais qu'ils n'en savent rien.

Ces jaculations mystiques, ce n'est ni du bavardage, ni du verbiage, c'est en somme ce qu'on peut lire de mieux – tout à fait en bas de page, note – *Y ajouter les Écrits de Jacques Lacan*, parce que c'est du même ordre. Moyennant quoi, naturellement, vous allez être tous convaincus que je crois en Dieu. Je crois à la jouissance de la femme en tant qu'elle est en plus, à condition que cet *en plus*, vous y mettiez un écran avant que je l'aie bien expliqué.

Ce qui se tentait à la fin du siècle dernier, au temps de Freud, ce qu'ils cherchaient, toutes sortes de braves gens dans l'entourage de Charcot et des autres, c'était de ramener la mystique à des affaires de foutre. Si vous y regardez de près, ce n'est pas ça du tout. Cette jouissance qu'on éprouve et dont on ne sait rien, n'est-ce pas ce qui nous met sur la voie de l'ex-sistence ? Et pourquoi ne pas interpréter une face de l'Autre, la face Dieu, comme supportée par la jouissance féminine ?

Comme tout ça se produit grâce à l'être de la signifiance, et que cet être n'a d'autre lieu que le lieu de l'Autre que je désigne du grand A, on voit la biglerie de ce qui se passe. Et comme c'est là aussi que s'inscrit la fonction du père en tant que c'est à elle que se rapporte la castration, on voit que ça ne fait pas deux Dieu, mais que ça n'en fait pas non plus un seul.

En d'autres termes, ce n'est pas par hasard que Kierkegaard a découvert l'existence dans une petite aventure de séducteur. C'est à se castrer, à renoncer à l'amour qu'il pense y accéder. Mais peut-être qu'après tout, pourquoi pas, Régine elle aussi existait. Ce désir d'un bien au second degré, un bien qui n'est pas causé par un petit *a*, peut-être est-ce par l'intermédiaire de Régine qu'il en avait la dimension.

20 FÉVRIER 1973.

VII

UNE LETTRE D'ÂMOUR

Coalescence et scission de a *et S($\cancel{A}$).*
Le Horsexe.
Parler en pure perte.
La psychanalyse n'est pas
une cosmologie.
Le savoir de la jouissance.

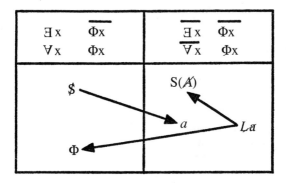

Après ce que je viens de vous mettre au tableau, vous pourriez croire que vous savez tout. Il faut vous en garder.

Nous allons aujourd'hui essayer de parler du savoir, de ce savoir que, dans l'inscription des quatre discours dont j'ai cru pouvoir vous exemplifier que se supporte le lien social, j'ai symbolisé en écrivant S_2. Peut-être arriverai-je à vous faire sentir pourquoi ce 2 va plus loin qu'une secondarité par rapport au signifiant pur qui s'inscrit du S_1.

1

Puisque j'ai pris le parti de vous donner le support de cette inscription au tableau, je vais la commenter, brièvement j'espère. Je ne l'ai, je vous l'avoue, nulle part écrite et nulle part préparée. Elle ne me paraît pas exemplaire, sinon, comme d'habitude, à produire des malentendus.

En effet, un discours comme l'analytique vise au sens. De sens, il est clair que je ne puis vous livrer à chacun que ce que vous êtes en route d'absorber. Ça a une limite, qui est donnée par le sens où vous vivez. Ce n'est pas trop dire que de dire qu'il ne va pas loin. Ce que le discours analytique fait surgir, c'est justement l'idée que ce sens est du semblant.

Si le discours analytique indique que ce sens est sexuel, ce ne peut être qu'à rendre raison de sa limite. Il n'y a nulle part de dernier mot si ce n'est au sens où *mot*, c'est *motus* – j'y ai déjà insisté. *Pas de réponse*, *mot,* dit quelque part La Fontaine. Le sens indique la direction vers laquelle il échoue.

Cela étant posé, qui doit vous garder de comprendre trop vite, prises toutes ces précautions qui sont de prudence, de φρόνησις comme on s'exprime dans la langue grecque où bien des choses ont été dites, mais qui sont restées loin de ce que le discours analytique nous permet d'articuler, voici à peu près ce qui est inscrit au tableau.

D'abord les quatre formules propositionnelles, en haut, deux à gauche, deux à droite. Qui que ce soit de l'être parlant s'inscrit d'un côté ou de l'autre. A gauche, la ligne inférieure, $\forall x \Phi x$, indique que c'est par la fonction phallique que l'homme comme tout prend son inscription, à

ceci près que cette fonction trouve sa limite dans l'existence d'un x par quoi la fonction Φx est niée, $\exists x\overline{\Phi x}$.
C'est là ce qu'on appelle la fonction du p̲ère –, d'où procède par la négation la proposition $\overline{\Phi x}$, ce qui fonde
l'exercice de ce qui supplée par la castration au rapport
sexuel – en tant que celui-ci n'est d'aucune façon inscriptible. Le tout repose donc ici sur l'exception posée comme
terme sur ce qui, ce Φx, le nie intégralement.

En face, vous avez l'inscription de la part femme des
êtres parlants. A tout être parlant, comme il se formule
expressément dans la théorie freudienne, il est permis,
quel qu'il soit, qu'il soit ou non pourvu des attributs de la
masculinité – attributs qui restent à déterminer – de s'inscrire dans cette partie. S'il s'y inscrit, il ne permettra
aucune universalité, il sera ce pas-tout, en tant qu'il a le
choix de se poser dans le Φx ou bien de n'en pas être.

Telles sont les seules définitions possibles de la part dite
homme ou bien femme pour ce qui se trouve être dans la
position d'habiter le langage.

Au-dessous, sous la barre transversale où se croise la
division verticale de ce qu'on appelle improprement l'hu-
manité en tant qu'elle se répartirait en identifications
sexuelles, vous avez une indication scandée de ce dont il
s'agit. Du côté de l'homme, j'ai inscrit ici, non certes pour
le privilégier d'aucune façon, le $, et le Φ qui le supporte
comme signifiant, ce qui s'incarne aussi bien dans le S_1,
qui est, entre tous les signifiants, ce signifiant dont il n'y a
pas de signifié, et qui, quant au sens, en symbolise
l'échec. C'est le *mi-sens*, l'*indé-sens* par excellence, ou si
vous voulez encore, le *réti-sens*.

Ce $ ainsi doublé de ce signifiant dont en somme il ne
dépend même pas, ce $ n'a jamais affaire, en tant que par-
tenaire, qu'à l'objet *a* inscrit de l'autre côté de la barre. Il
ne lui est donné d'atteindre son partenaire sexuel, qui est
l'Autre, que par l'intermédiaire de ceci qu'il est la cause
de son désir. A ce titre, comme l'indique ailleurs dans mes

graphes la conjonction pointée de ce $ et de ce *a*, ce n'est
rien d'autre que fantasme. Ce fantasme où est pris le sujet,
c'est comme tel le support de ce qu'on appelle expressément dans la théorie freudienne le principe de réalité.

L'autre côté maintenant. Ce que j'aborde cette année est
ce que Freud a expressément laissé de côté, le W*as will
das* W*eib ?* le *Que veut la femme ?* Freud avance qu'il n'y
a de libido que masculine. Qu'est-ce à dire ? – sinon qu'un
champ qui n'est tout de même pas rien se trouve ainsi
ignoré. Ce champ est celui de tous les êtres qui assument
le statut de la femme – si tant est que cet être assume quoi
que ce soit de son sort. De plus, c'est improprement qu'on
l'appelle *la* femme, puisque comme je l'ai souligné la dernière fois, le *la* de *la femme,* à partir du moment où il
s'énonce d'un pas-tout, ne peut s'écrire. Il n'y a ici de *la*
que barré. Ce L*a* a rapport, et je vous l'illustrerai aujour-
d'hui, avec le signifiant de A en tant que barré.

L'Autre n'est pas simplement ce lieu où la vérité balbu-
tie. Il mérite de représenter ce à quoi la femme a foncière-
ment rapport. Nous n'en avons assurément que des témoi-
gnages sporadiques, et c'est pourquoi je les ai pris, la
dernière fois dans leur fonction de métaphore. D'être dans
le rapport sexuel, par rapport à ce qui peut se dire de l'inconscient, radicalement l'Autre, la femme est ce qui a rapport à cet Autre. C'est là ce qu'aujourd'hui je voudrais
tenter d'articuler de plus près.

La femme a rapport au signifiant de cet Autre, en tant
que, comme Autre, il ne peut rester que toujours Autre. Je
ne puis ici que supposer que vous évoquerez mon énoncé
qu'il n'y a pas d'Autre de l'Autre. L'Autre, ce lieu où
vient s'inscrire tout ce qui peut s'articuler du signifiant,
est, dans son fondement, radicalement l'Autre. C'est pour
cela que ce signifiant, avec cette parenthèse ouverte,
marque l'Autre comme barré – S (Ⱥ).

Comment concevoir que l'Autre puisse être quelque
part ce par rapport à quoi une moitié – puisque aussi bien

c'est grossièrement la proportion biologique – une moitié des êtres parlants se réfère ? C'est pourtant ce qui est là écrit au tableau par cette flèche partant du La. Ce La ne peut se dire. Rien ne peut se dire de la femme. La femme a rapport à S (A̸) et c'est en cela déjà qu'elle se dédouble, qu'elle n'est pas toute, puisque, d'autre part, elle peut avoir rapport avec Φ.

Φ, nous le désignons de ce phallus tel que je le précise d'être le signifiant qui n'a pas de signifié, celui qui se supporte chez l'homme de la jouissance phallique. Qu'est-ce que c'est ? – sinon ceci, que l'importance de la masturbation dans notre pratique souligne suffisamment, la jouissance de l'idiot.

2

Après ça, pour vous remettre, il ne me reste plus qu'à vous parler d'amour. Ce que je vais faire dans un instant. Mais quel sens y a-t-il à ce que j'en vienne à vous parler d'amour, alors que c'est peu compatible avec cette direction d'où le discours analytique peut faire semblant de quelque chose qui serait science ?

Ce *serait science*, vous en êtes très peu conscients. Bien sûr, vous savez, parce que je vous l'ai fait repérer, qu'il y a eu un moment où on a pu, non sans fondement, se décerner cette assurance que le discours scientifique s'était fondé sur le point tournant galiléen. J'y ai suffisamment insisté pour supposer qu'à tout le moins certains d'entre vous ont été aux sources, je veux dire dans l'œuvre de Koyré.

S'agissant du discours scientifique, il est très difficile de maintenir également présents deux termes, que je vais vous dire.

D'une part, ce discours a engendré toutes sortes d'instruments qu'il nous faut, du point de vue dont il s'agit ici, qualifier de gadgets. Vous êtes désormais, infiniment plus loin que vous ne le pensez, les sujets des instruments qui, du microscope jusqu'à la radio-télévision, deviennent des éléments de votre existence. Vous ne pouvez même pas actuellement en mesurer la portée, mais cela n'en fait pas moins partie de ce que j'appelle le discours scientifique, pour autant qu'un discours, c'est ce qui détermine une forme de lien social.

D'autre part, et là le joint ne se fait pas, il y a subversion de la connaissance. Jusqu'alors, rien de la connaissance ne s'est conçu qui ne participe du fantasme d'une inscription du lien sexuel – et on ne peut même pas dire que les sujets de la théorie antique de la connaissance ne l'aient pas su.

Considérons seulement les termes d'actif et de passif, par exemple, qui dominent tout ce qui a été cogité du rapport de la forme et de la matière, ce rapport si fondamental, auquel se réfère chaque pas de Platon, puis d'Aristote, concernant ce qu'il en est de la nature des choses. Il est visible, touchable, que ces énoncés ne se supportent que d'un fantasme par où ils ont tenté de suppléer à ce qui d'aucune façon ne peut se dire, à savoir le rapport sexuel.

L'étrange est que dans cette grossière polarité, celle qui de la matière fait le passif et de la forme l'agent qui l'anime, quelque chose, mais quelque chose d'ambigu, a tout de même passé, c'est à savoir que cette animation n'est rien d'autre que cet *a* dont l'agent anime quoi? – il n'anime rien, il prend l'autre pour son âme.

Suivez ce qui progresse au cours des âges de l'idée d'un Dieu qui n'est pas celui de la foi chrétienne, mais celui d'Aristote, le moteur immobile, la sphère suprême. Qu'il y a un être tel que tous les autres êtres moins êtres que lui ne peuvent avoir d'autre visée que d'être le plus être qu'ils peuvent être, c'est là tout le fondement de l'idée du Bien dans cette éthique d'Aristote, à laquelle je vous ai incités à vous reporter pour en saisir les impasses. Si nous nous supportons maintenant des inscriptions de ce tableau, il se révèle assurément que c'est à la place, opaque, de la jouis-sance de l'Autre, de cet Autre en tant que pourrait l'être, si elle existait, la femme, qu'est situé cet Être suprême, mythique manifestement chez Aristote, cette sphère immo-bile d'où procèdent tous les mouvements, quels qu'ils soient, changements, générations, mouvements, transla-tions, augmentations, etc.

C'est en tant que sa jouissance est radicalement Autre que la femme a davantage rapport à Dieu que tout ce qui a pu se dire dans la spéculation antique en suivant la voie de ce qui ne s'articule manifestement que comme le bien de l'homme.

La fin de notre enseignement, pour autant qu'il poursuit ce qui se peut dire et s'énoncer du discours analytique, est de dissocier le *a* et le A en réduisant le premier à ce qui est de l'imaginaire, et l'autre à ce qui est du symbolique. Que le symbolique soit le support de ce qui a été fait Dieu, c'est hors de doute. Que l'imaginaire se supporte du reflet du semblable au semblable, c'est ce qui est certain. Et pourtant, *a* a pu prêter à confusion avec le S($\cancel{A}$), en des-sous de quoi il s'inscrit au tableau, et cela, par le biais de la fonction de l'être. C'est ici qu'une scission, un décolle-ment, reste à faire. C'est en ce point que la psychanalyse est autre chose qu'une psychologie. Car la psychologie, c'est cette scission inaccomplie.

3

Là, pour me reposer, je vais me permettre de vous lire ce que je vous ai écrit il y a quelque temps, écrit sur quoi ? – écrit là seulement d'où il se peut qu'on parle d'amour.

Parler d'amour, en effet, on ne fait que ça dans le dis-cours analytique. Et comment ne pas sentir qu'au regard de tout ce qui peut s'articuler depuis la découverte du dis-cours scientifique, c'est, pure et simple, une perte de temps ? Ce que le discours analytique apporte – et c'est peut-être ça, après tout, la raison de son émergence en un certain point du discours scientifique –, c'est que parler d'amour est en soi une jouissance.

Cela se confirme assurément de cet effet, effet tangible, que dire n'importe quoi – consigne même du discours de l'analysant – est ce qui mène au *Lustprinzip*, ce qui y mène de la façon la plus directe, sans avoir aucun besoin de cette accession aux sphères supérieures qui est au fondement de l'éthique aristotélicienne.

Le *Lustprinzip*, en effet, ne se fonde que de la coalescence du *a* avec le S($\cancel{A}$).

A est barré par nous, bien sûr. Ça ne veut pas dire qu'il suffise de le barrer pour que rien n'en existe. Si de ce S ($\cancel{A}$) je ne désigne rien d'autre que la jouissance de la femme, c'est assurément parce que c'est là que je pointe que Dieu n'a pas encore fait son exit.

Voici à peu près ce que j'écrivais à votre usage. Je vous écrivais quoi, en somme ? – la seule chose qu'on puisse faire d'un peu sérieux, la lettre d'amour.

Les supposés psychologiques grâce à quoi tout cela a duré si longtemps, je suis de ceux qui ne leur font pas une bonne réputation. On ne voit pas pourtant pourquoi le fait d'avoir une âme serait un scandale pour la pensée – si c'était vrai. Si c'était vrai, l'âme ne pourrait se dire que de ce qui permet à un être – à l'être parlant pour l'appeler par son nom – de supporter l'intolérable de son monde, ce qui la suppose y être étrangère, c'est-à-dire fantasmatique. Ce qui, cette âme, ne l'y considère – c'est-à-dire dans ce monde – que de sa patience et de son courage à y faire tête. Cela s'affirme de ce que, jusqu'à nos jours, elle n'a, l'âme, jamais eu d'autre sens.

C'est là que lalangue, lalangue en français doit m'apporter une aide – non pas, comme il arrive quelquefois, en m'offrant une homonymie, du *d'eux* avec le *deux*, du *peut* avec le *peu*, voyez ce *il peut peu* qui est bien tout de même là pour nous servir à quelque chose – mais simplement en me permettant de dire qu'on *âme*. *J'âme*, tu *âmes*, il *âme*. Vous voyez là que nous ne pouvons nous servir que de l'écriture, même à y inclure *jamais j'âmais*.

Son existence, donc, à l'âme, peut être mise en cause – c'est le terme propre à se demander si ce n'est pas un effet de l'amour. Tant en effet que l'âme âme l'âme, il n'y a pas de sexe dans l'affaire. Le sexe n'y compte pas. L'élaboration dont elle résulte est *hommosexuelle*, comme cela est parfaitement lisible dans l'histoire.

Ce que j'ai dit tout à l'heure du courage, de la patience de l'âme à supporter le monde, c'est le vrai répondant de ce qui fait un Aristote déboucher dans sa recherche du Bien sur ceci, que chacun des êtres qui sont au monde ne peut s'orienter vers le plus grand être qu'à confondre son bien, son bien propre, avec celui même dont rayonne l'Être suprême. Ce qu'Aristote évoque comme la φιλία, à savoir ce qui représente la possibilité d'un lien d'amour entre deux de ces êtres, peut aussi bien, à manifester la tension vers l'Être Suprême, se renverser du mode dont je l'ai exprimé – c'est au courage à supporter la relation intolérable à l'être suprême que les amis, les φίλοι, se reconnaissent et se choisissent. L'hors-sexe de cette éthique est manifeste, au point que je voudrais lui donner l'accent que Maupassant donne à quelque part énoncer cet étrange terme du Horla. Le *Horsexe*, voilà l'homme sur quoi l'âme spécula.

Mais il se trouve que les femmes aussi sont âmoureuses, c'est-à-dire qu'elles âment l'âme. Qu'est-ce que ça peut bien être que cette âme qu'elles âment dans leur partenaire pourtant homo jusqu'à la garde, dont elles ne sortiront pas ? Ça ne peut en effet les conduire qu'à ce terme ultime – et ce n'est pas pour rien que je l'appelle comme ça – ὕστερια que ça se dit en grec, l'hystérie, soit de faire l'homme, comme je l'ai dit, d'être de ce fait *hommosexuelle* ou *horsexe*, elles aussi – leur étant dès lors diffi-

cile de ne pas sentir l'impasse qui consiste à ce qu'elles
se mêment dans l'Autre, car enfin il n'y a pas besoin de se
savoir Autre pour en être.

Pour que l'âme trouve à être, on l'en différencie, elle, la
femme, et ça d'origine. On la *dit-femme*, on la *diffâme*. Ce
qui de plus fameux dans l'histoire est resté des femmes,
c'est à proprement parler ce qu'on peut en dire d'infa-
mant. Il est vrai qu'il lui reste l'honneur de Cornélie, mère
des Gracques. Pas besoin de parler de Cornélie aux analystes, qui n'y songent guère, mais parlez-leur d'une Cornélie quelconque, et ils vous diront que ça ne réussira pas
très bien à ses enfants, les Gracques – ils feront des
craques jusqu'à la fin de leur existence.

C'était là le début de ma lettre, un âmusement.

J'ai fait alors une allusion à l'amour courtois, qui apparaît au point où l'âmusement hommosexuel était tombé
dans la suprême décadence, dans cette espèce de mauvais
rêve impossible dit de la féodalité. A ce niveau de dégéné-
rescence politique, il devait devenir perceptible que du
côté de la femme il y avait quelque chose qui ne pouvait
plus du tout marcher.

L'invention de l'amour courtois n'est pas du tout le fruit
de ce qu'on a l'habitude, dans l'histoire, de symboliser de
la *thèse-antithèse-synthèse*. Et il n'y a pas eu après la
moindre synthèse, bien entendu – il n'y en a d'ailleurs
jamais. L'amour courtois a brillé dans l'histoire comme
un météore et on a vu revenir ensuite tout le bric-à-brac
d'une renaissance prétendue des vieilleries antiques.
L'amour courtois est resté énigmatique.

Il y a là une petite parenthèse – quand un fait deux, il
n'y a jamais de retour. Ça ne revient pas à faire de nouveau un, même un nouveau. L'*Aufhebung* est un de ces
jolis rêves de philosophie.

Après le météore de l'amour courtois, c'est d'une tout
autre partition qu'est venu ce qui l'a rejeté à sa futilité
première. Il a fallu rien de moins que le discours scienti-

fique, soit quelque chose qui ne doit rien aux supposés de l'âme antique.

Et c'est de là seulement que surgit la psychanalyse, à savoir l'objectivation de ce que l'être parlant passe encore du temps à parler en pure perte. Il passe encore du temps à parler pour un office des plus courts – des plus courts, dis-je, de ce fait que cet office ne va pas plus loin que d'être en cours encore, c'est-à-dire le temps qu'il faut pour que ça se résolve enfin – c'est là ce qui nous pend au nez – démographiquement.

Ce n'est pas du tout ça qui arrangera les rapports de l'homme aux femmes. L'avoir vu, c'est le génie de Freud. Freud, c'est un nom rigolard – *Kraft durch Freud*, c'est tout un programme ! C'est le saut le plus rigolard de la sainte farce de l'histoire. On pourrait peut-être pendant que ça dure, ce tournant, avoir un petit éclair de quelque chose qui concernerait l'Autre, en tant que c'est à ça que la femme a à faire.

J'apporte maintenant un complément essentiel à ce qui a déjà été très bien vu, mais que ça éclairerait de s'apercevoir par quelles voies ça s'est vu.

Ce qui s'est vu, mais rien que du côté de l'homme, c'est que ce à quoi il a à faire, c'est à l'objet *a*, et que toute sa réalisation au rapport sexuel aboutit au fantasme. On l'a vu bien sûr à propos des névrosés. Comment les névrosés font-ils l'amour ? C'est de là qu'on est parti. On n'a pas pu manquer de s'apercevoir qu'il y avait une corrélation avec les perversions – ce qui vient à l'appui de mon *a*, puisque le *a* est ce qui, quelles que soient lesdites perversions, en est là comme la cause.

L'amusant, c'est que Freud les a primitivement attribuées à la femme – voyez les *Trois Essais*. C'est vraiment une confirmation que quand on est homme, on voit dans la partenaire ce dont on se supporte soi-même, ce dont on se supporte narcissiquement.

Seulement, on a eu dans la suite l'occasion de s'aperce-

voir que les perversions, telles qu'on croit les repérer dans
la névrose, ce n'est pas du tout ça. La névrose, c'est le
rêve plutôt que la perversion. Les névrosés n'ont aucun
des caractères du pervers. Simplement ils en rêvent, ce qui
est bien naturel, car sans ça, comment atteindre au partenaire ?

Les pervers, on a alors commencé à en rencontrer, c'est
ceux-là qu'Aristote ne voulait voir à aucun prix. Il y a chez
eux une subversion de la conduite appuyée sur un savoir-
faire, lequel est lié à un savoir, au savoir de la nature des
choses, il y a un embrayage direct de la conduite sexuelle
sur ce qui est sa vérité, à savoir son amoralité. Mettez de
l'âme au départ là-dedans – l'*âmoralité*…

Il y a une moralité – voilà la conséquence – de la
conduite sexuelle. La moralité de la conduite sexuelle est
le sous-entendu de tout ce qui s'est dit du Bien.

Seulement, à force de dire du bien, ça aboutit à Kant, où
la moralité avoue ce qu'elle est. C'est ce que j'ai cru
devoir avancer dans un article, *Kant avec Sade* – elle
avoue qu'elle est Sade, la moralité.

Vous écrirez *Sade* comme vous voudrez – soit avec une
majuscule, pour rendre un hommage à ce pauvre idiot qui
nous a donné là-dessus d'interminables écrits – soit avec
une minuscule, puisque c'est en fin de compte sa façon à
elle d'être agréable, et qu'en vieux français, c'est ce que
ça veut dire – soit, mieux, *çade*, pour dire que la moralité,
il faut tout de même bien dire que ça se termine au niveau
du ça, et que c'est assez court. Autrement dit, ce dont il
s'agit, c'est que l'amour soit impossible, et que le rapport
sexuel s'abîme dans le non-sens, ce qui ne diminue en rien
l'intérêt que nous devons avoir pour l'Autre.

La question est en effet de savoir, dans ce qui constitue
la jouissance féminine pour autant qu'elle n'est pas toute
occupée de l'homme, et même, dirai-je, que comme telle
elle ne l'est pas du tout, la question est de savoir ce qu'il
en est de son savoir.

Si l'inconscient nous a appris quelque chose, c'est d'abord ceci, que quelque part, dans l'Autre, ça sait. Ça sait parce que ça se supporte justement de ces signifiants dont se constitue le sujet.

Or, ça prête à confusion, parce qu'il est difficile à qui âme de ne pas penser que tout par le monde sait ce qu'il a à faire. Si Aristote supporte son Dieu de cette sphère immobile à l'usage de quoi chacun a à suivre son bien, c'est parce qu'elle est censée savoir son bien. Voilà ce dont la faille induite du discours scientifique nous oblige à nous passer.

Il n'y a aucun besoin de savoir pourquoi. Nous n'avons plus aucun besoin de ce savoir dont Aristote part à l'origine. Nous n'avons aucun besoin pour expliquer les effets de la gravitation d'imputer à la pierre qu'elle sait le lieu qu'elle doit rejoindre. L'imputation d'une âme à l'animal fait du savoir l'acte par excellence de rien d'autre que le corps – vous voyez qu'Aristote n'était pas si à côté de la plaque – à ceci près que le corps est fait pour une activité, une ἐνέργεια, et que quelque part l'entéléchie de ce corps se supporte de cette substance qu'il appelle l'âme.

L'analyse prête ici à cette confusion de nous restituer la cause finale, de nous faire dire que, pour tout ce qui concerne au moins l'être parlant, la réalité est comme ça, c'est-à-dire fantasmatique. Est-ce là quelque chose qui, d'une façon quelconque, puisse satisfaire au discours scientifique ?

Il y a, selon le discours analytique, un animal qui se trouve parlant, et pour qui, d'habiter le signifiant, il résulte qu'il en est sujet. Dès lors, tout se joue pour lui au niveau du fantasme, mais d'un fantasme parfaitement désarticulable d'une façon qui rend compte de ceci, qu'il en sait beaucoup plus qu'il ne croit quand il agit. Mais il ne suffit pas qu'il en soit ainsi pour que nous ayons l'amorce d'une cosmologie.

C'est l'éternelle ambiguïté du terme *inconscient*. Certes,

l'inconscient est supposé de ce qu'en l'être parlant il y a quelque part quelque chose qui en sait plus que lui, mais ce n'est pas là un modèle recevable du monde. La psychanalyse, en tant qu'elle tient sa possibilité du discours de la science, n'est pas une cosmologie, bien qu'il suffise que l'homme rêve pour qu'il voie ressortir cet immense bric-à-brac, ce garde-meubles avec lequel il a à se débrouiller, ce qui en fait assurément une âme, et une âme à l'occasion aimable quand quelque chose veut bien l'aimer.

La femme ne peut aimer en l'homme, ai-je dit, que la façon dont il fait face au savoir dont il âme. Mais, pour le savoir dont il est, la question se pose à partir de ceci qu'il y a quelque chose, la jouissance, dont il n'est pas possible de dire si la femme peut en dire quelque chose – si elle peut en dire ce qu'elle en sait.

Au terme de cette conférence d'aujourd'hui, j'arrive donc, comme toujours, au bord de ce qui polarisait mon sujet, c'est à savoir si la question peut se poser de ce qu'elle en sait. Ce n'est pas une autre question que de savoir si ce terme dont elle jouit au-delà de tout ce *jouer* qui fait son rapport à l'homme, et que j'appelle l'Autre en le signifiant d'un A, si ce terme, lui, sait quelque chose. Car c'est en cela qu'elle est elle-même sujette à l'Autre, tout autant que l'homme.

Est-ce que l'Autre sait ?

Il y avait un nommé Empédocle – comme par hasard, Freud s'en sert de temps en temps, comme d'un tire-bouchon – dont nous ne savons là-dessus que trois vers, mais dont Aristote tire très bien les conséquences quand il énonce qu'en somme le Dieu était pour Empédocle le plus ignorant de tous les êtres, de ne point connaître la haine. C'est ce que les chrétiens plus tard ont transformé en des déluges d'amour. Malheureusement, ça ne colle pas, parce que ne point connaître la haine, c'est ne point connaître l'amour non plus. Si Dieu ne connaît pas la haine, il est clair pour Empédocle qu'il en sait moins que les mortels.

De sorte qu'on pourrait dire que plus l'homme peut prêter à la femme à confusion avec Dieu, c'est-à-dire ce dont elle jouit, moins il hait, moins il est – les deux orthographes – et, puisque après tout il n'y a pas d'amour sans haine, moins il aime.

13 MARS 1973.

VIII

LE SAVOIR ET LA VÉRITÉ

L'hainamoration.
Le savoir sur la vérité.
Contingence de la fonction phallique.
Charité de Freud.
Jouir du savoir.
L'inconscient et la femme.

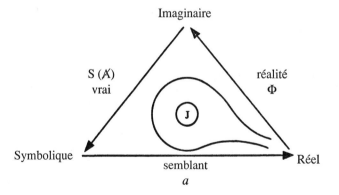

J'aimerais bien que, de temps en temps, j'aie une réponse, voire une protestation.

Je suis sorti la dernière fois assez inquiet, pour ne pas dire plus. Ça se trouve pourtant à ma relecture s'avérer pour moi-même tout à fait supportable – c'est ma façon à moi de dire que c'était très bien. Mais je ne serais pas mécontent si quelqu'un pouvait me donner le témoignage d'en avoir entendu quelque chose. Il suffirait qu'une main se lève pour qu'à cette main, si je puis dire, je donne la parole.

Je vois qu'il n'en est rien, de sorte qu'il faut donc que je continue.

1

Ce que pour vous aujourd'hui j'écrirai volontiers de l'*hainamoration* est le relief qu'a su introduire la psychanalyse pour y situer la zone de son expérience. C'était de sa part un témoignage de bonne volonté. Si seulement elle avait su l'appeler d'un autre terme que celui, bâtard, d'ambivalence, peut-être aurait-elle mieux réussi à réveiller le contexte de l'époque où elle s'insère. Mais peut-être était-ce modestie de sa part.

J'ai fait remarquer la dernière fois que ce n'est pas pour rien que Freud s'arme du dit d'Empédocle que Dieu doit être le plus ignorant de tous les êtres, de ne point connaître la haine. La question de l'amour est ainsi liée à celle du savoir. J'ajoutais que les chrétiens ont transformé cette non-haine de Dieu en une marque d'amour. C'est là que l'analyse nous incite à ce rappel qu'on ne connaît point d'amour sans haine. Eh bien, si cette connaissance nous déçoit qui a été fomentée au cours des siècles, et s'il nous faut aujourd'hui rénover la fonction du savoir, c'est peut-être parce que la haine n'y a point été mise à sa place.

Il est vrai que ce n'est pas ce qu'il semble le plus désirable d'évoquer. C'est pourquoi j'ai terminé de cette phrase – *On pourrait dire que plus l'homme prête à la femme de le confondre avec Dieu, c'est-à-dire ce dont elle jouit,* rappelez-vous mon schéma de la dernière fois, *moins il hait,* et du même coup, *moins il est,* c'est-à-dire que dans cette affaire *moins il aime.* Je n'étais pas très heureux d'avoir terminé là-dessus, qui est pourtant une vérité. C'est ce qui me fera aujourd'hui m'interroger une fois de plus sur ce qui se confond apparemment du vrai et du réel.

Que le vrai vise le réel, cet énoncé est le fruit d'une longue réduction des prétentions à la vérité. Partout où la vérité se présente, s'affirme elle-même comme d'un idéal dont la parole peut être le support, elle ne s'atteint pas si aisément. Quant à l'analyse, si elle se pose d'une présomption, c'est bien de celle-ci, qu'il puisse se constituer de son expérience un savoir sur la vérité.

Dans le petit gramme que je vous ai donné du discours analytique, le *a* s'écrit en haut à gauche, et se soutient du S_2, c'est-à-dire du savoir en tant qu'il est à la place de la vérité. C'est de là qu'il interpelle le $\$$ ce qui doit aboutir à la production du S_1, du signifiant dont puisse se résoudre quoi ? – son rapport à la vérité.

$$\frac{a}{S_2} \longrightarrow \frac{\$}{S_1}$$

Schéma du discours analytique

La vérité, disons, pour trancher dans le vif, est d'origine ἀλήθεια, terme sur quoi a tant spéculé Heidegger. *Emet,* le terme hébreu, a, comme tout usage du terme de vérité, origine juridique. De nos jours encore, le témoin est prié de dire la vérité, rien que la vérité, et, qui plus est, toute, s'il peut – comment, hélas, pourrait-il ? On lui réclame toute la vérité sur ce qu'il sait. Mais, en fait, ce qui est recherché et plus qu'en tout autre dans le témoignage juridique, c'est de quoi pouvoir juger ce qu'il en est de sa jouissance. Le but, c'est que la jouissance s'avoue, et justement en ceci qu'elle peut être inavouable. La vérité cherchée est celle-là, en regard de la loi qui règle la jouissance.

C'est aussi bien en quoi, dans les termes de Kant, le problème s'évoque de ce que doit faire l'homme libre quand on lui propose toutes les jouissances s'il dénonce l'ennemi dont le tyran redoute qu'il soit celui qui lui dispute la jouissance. De cet impératif que rien de ce qui est de l'ordre du pathique ne doit diriger le témoignage, faut-il déduire que l'homme libre doit dire la vérité au tyran, quitte à lui livrer par sa véracité l'ennemi, le rival ? La réserve que nous inspire à tous la réponse de Kant, qui est affirmative, tient à ce que toute la vérité, c'est ce qui ne peut pas se dire. C'est ce qui ne peut se dire qu'à condition de ne la pas pousser jusqu'au bout, de ne faire que la mi-dire.

Autre chose encore nous ligote quant à ce qu'il en est de la vérité, c'est que la jouissance est une limite. Cela tient à la structure même qu'évoquaient au temps où je les ai construits pour vous mes quadripodes – la jouissance ne s'interpelle, ne s'évoque, ne se traque, ne s'élabore qu'à partir d'un semblant.

L'amour lui-même, ai-je souligné la dernière fois, s'adresse au semblant. Et, s'il est vrai que l'Autre ne s'atteint qu'à s'accoler, comme je l'ai dit la dernière fois, au *a,* cause du désir, c'est aussi bien au semblant d'être qu'il s'adresse. Cet être-là n'est pas rien. Il est supposé à cet objet qu'est le *a.*

Ne devons-nous pas retrouver ici cette trace, qu'en tant que tel il répond à quelque imaginaire ? Cet imaginaire, je l'ai désigné expressément de l'*I,* ici isolé du terme *imaginaire.* Ce n'est que de l'habillement de l'image de soi qui vient envelopper l'objet cause du désir, que se soutient le plus souvent – c'est l'articulation même de l'analyse – le rapport objectal.

L'affinité du *a* à son enveloppe est un de ces joints majeurs à avoir été avancés par la psychanalyse. C'est pour nous le point de suspicion qu'elle introduit essentiellement.

C'est là que le réel se distingue. Le réel ne saurait s'inscrire que d'une impasse de la formalisation. C'est en quoi j'ai cru pouvoir en dessiner le modèle à partir de la formalisation mathématique en tant qu'elle est l'élaboration la plus poussée qu'il nous ait été donné de produire de la signifiance. Cette formalisation mathématique de la signifiance se fait au contraire du sens, j'allais presque dire à *contresens*. Le *ça ne veut rien dire* concernant les mathématiques, c'est ce que disent, de notre temps, les philosophes des mathématiques, fussent-ils mathématiciens eux-mêmes, comme Russell.

Et pourtant, au regard d'une philosophie dont la pointe est le discours de Hegel – plénitude des contrastes dialectisés dans l'idée d'une progression historique dont il faut dire que rien ne nous atteste la substance – la formalisation de la logique mathématique, si bien faite à ne se supporter que de l'écrit, ne peut-elle nous servir dans le procès analytique, en ceci que s'y désigne ça qui retient les corps invisiblement ?

S'il m'était permis d'en donner une image, je la prendrais aisément de ce qui, dans la nature, paraît le plus se rapprocher de cette réduction aux dimensions de la surface qu'exige l'écrit, et dont déjà s'émerveillait Spinoza – ce travail de texte qui sort du ventre de l'araignée, sa toile. Fonction vraiment miraculeuse, à voir, de la surface même surgissant d'un point opaque de cet étrange être, se dessiner la trace de ces écrits, où saisir les limites, les points d'impasse, de sans-issue, qui montrent le réel accédant au symbolique.

C'est en cela que je ne crois pas vain d'en être venu à l'écriture du *a,* du $\$$, du signifiant, du A et du Φ. Leur écriture même constitue un support qui va au-delà de la parole, sans sortir des effets mêmes du langage. Cela a valeur de centrer le symbolique, à condition de savoir s'en servir, pour quoi ? – pour retenir une vérité congrue, non pas la vérité qui se prétend être toute, mais celle du mi-dire, celle qui s'avère de se mettre en garde d'aller jusqu'à l'aveu, qui serait le pire, la vérité qui se met en garde dès la cause du désir.

2

L'analyse présume du désir qu'il s'inscrit d'une contingence corporelle.

Je vous rappelle la façon dont je supporte ce terme de contingence. Le phallus – tel que l'analyse l'aborde comme le point clé, le point extrême de ce qui s'énonce comme cause du désir – l'expérience analytique cesse de ne pas l'écrire. C'est dans ce *cesse de ne pas s'écrire* que réside la pointe de ce que j'ai appelé contingence.

L'expérience analytique rencontre là son terme, car tout ce qu'elle peut produire, selon mon gramme, c'est S_1. Je pense que vous avez encore le souvenir de la rumeur que j'ai réussi à induire la dernière fois en désignant ce signifiant S_1 comme le signifiant de la jouissance même la plus idiote – dans les deux sens du terme, jouissance de l'idiot, qui a bien ici sa fonction de référence, jouissance aussi la plus singulière.

Le nécessaire, lui, nous est introduit par le *ne cesse pas*. Le *ne cesse pas* du nécessaire, c'est le *ne cesse pas de s'écrire*. C'est bien à cette nécessité que nous mène apparemment l'analyse de la référence au phallus.

Le *ne cesse pas de ne pas s'écrire*, par contre, c'est l'impossible, tel que je le définis de ce qu'il ne puisse en aucun cas s'écrire, et c'est par là que je désigne ce qu'il en est du rapport sexuel – le rapport sexuel ne cesse pas de ne pas s'écrire.

De ce fait, l'apparente nécessité de la fonction phallique se découvre n'être que contingence. C'est en tant que mode du contingent qu'elle cesse de ne pas s'écrire. La contingence est ce en quoi se résume ce qui soumet le rapport sexuel à n'être, pour l'être parlant, que le régime de la rencontre. Ce n'est que comme contingence que, par la psychanalyse, le phallus, réservé dans les temps antiques aux Mystères, a cessé de ne pas s'écrire. Rien de plus. Il n'est pas entré dans le *ne cesse pas*, dans le champ d'où dépendent la nécessité, d'une part, et, plus haut, l'impossibilité.

Le vrai témoigne donc ici qu'à mettre en garde comme il le fait contre l'imaginaire, il a beaucoup à faire avec l'*anatomie*.

Ces trois termes, ceux que j'inscris du *a*, du S($\not A$) et du Φ, c'est, en fin de compte, sous un angle dépréciatif que je les apporte. Ils s'inscrivent sur ce triangle constitué de l'Imaginaire, du Symbolique et du Réel.

A droite, le peu-de-réalité dont se supporte ce principe du plaisir qui fait que tout ce qu'il nous est permis d'aborder de réalité reste enraciné dans le fantasme.

D'autre part, S($\not A$), qu'est-ce d'autre que l'impossibilité de dire tout le vrai, dont je parlais tout à l'heure ?

Enfin, le symbolique, à se diriger vers le réel, nous démontre la vraie nature de l'objet *a*. Si je l'ai tout à l'heure qualifié de semblant d'être, c'est parce qu'il semble nous donner le support de l'être. Dans tout ce qui s'est élaboré de l'être et même de l'essence, chez Aristote par exemple, nous pouvons voir, à le lire à partir de l'expérience analytique, qu'il s'agit de l'objet *a*. La contemplation, par exemple aristotélicienne, est le fait de ce regard tel que je l'ai défini dans *Les Quatre concepts fondamentaux de la psychanalyse* comme un des quatre supports qui font la cause du désir.

Par une telle graphicisation – pour ne pas parler de graphe puisque c'est un terme qui a un sens précis dans la logique mathématique – se montrent les correspondances qui font du réel un ouvert entre le semblant, résultant du symbolique, et la réalité telle qu'elle se supporte dans le concret de la vie humaine – dans ce qui mène les hommes, dans ce qui les fait foncer toujours par les mêmes voies, dans ce qui fait que jamais l'encore-à-naître ne donnera rien que de l'*encorné*.

De l'autre côté, le *a*. Lui, d'être dans la bonne voie somme toute, il nous ferait le prendre pour être, au nom de ceci qu'il est apparemment bien quelque chose. Mais il ne se résout en fin de compte que de son échec, que de ne pouvoir se soutenir dans l'abord au réel.

Le vrai, alors, bien sûr, c'est cela. A ceci près que ça ne s'atteint jamais que par des voies tordues. Faire appel au vrai, comme nous sommes couramment amenés à le faire, c'est simplement rappeler qu'il ne faut pas se tromper et croire qu'on est déjà même dans le semblant. Avant le semblant, dont en effet tout se supporte pour rebondir dans le fantasme, il y a à faire une distinction sévère de l'imaginaire et du réel. Il ne faut pas croire que ce soit d'aucune façon nous-mêmes qui supportions le semblant. Nous ne sommes même pas semblant. Nous sommes à l'occasion ce qui peut en occuper la place, et y faire régner quoi ? – l'objet *a*.

L'analyste, en effet, de tous les ordres de discours qui se soutiennent actuellement – et ce mot n'est pas rien, si nous donnons à l'acte son plein sens aristotélicien – est celui qui, à mettre l'objet *a* à la place du semblant, est dans la position la plus convenable à faire ce qu'il est juste de faire, à savoir, interroger comme du savoir ce qu'il en est de la vérité.

3

Qu'est-ce que c'est que le savoir ? Il est étrange qu'avant Descartes la question du savoir n'ait jamais été posée. Il a fallu l'analyse pour que cette question se renouvelle.

L'analyse est venue nous annoncer qu'il y a du savoir qui ne se sait pas, un savoir qui se supporte du signifiant comme tel. Un rêve, ça n'introduit à aucune expérience insondable, à aucune mystique, ça se lit dans ce qui s'en dit, et qu'on pourra aller plus loin à en prendre les équi-voques au sens le plus anagrammatique du mot. C'est à ce point du langage qu'un Saussure se posait la question de savoir si dans les vers saturniens où il trouvait les plus étranges ponctuations d'écrit, c'était ou non intentionnel. C'est là où Saussure attend Freud. Et c'est là que se renouvelle la question du savoir.

Si vous voulez bien ici me pardonner d'emprunter à un tout autre registre, celui des vertus inaugurées par la reli-gion chrétienne, il y a là une sorte d'effet tardif, de sur-geon de la charité. N'est-ce pas, chez Freud, charité que d'avoir permis à la misère des êtres parlants de se dire qu'il y a – puisqu'il y a l'inconscient – quelque chose qui transcende, qui transcende vraiment, et qui n'est rien d'autre que ce qu'elle habite, cette espèce, à savoir le lan-gage ? N'est-ce pas, oui, charité que de lui annoncer cette nouvelle que dans ce qui est sa vie quotidienne, elle a avec le langage un support de plus de raison qu'il n'en pouvait paraître, et que, de la sagesse, objet inatteignable d'une poursuite vaine, il y en a déjà là ?

Faut-il tout ce détour pour poser la question du savoir sous la forme – *qu'est-ce qui sait ?* Se rend-on compte que c'est l'Autre ? – tel qu'au départ je l'ai posé, comme le lieu où le signifiant se pose, et sans lequel rien ne nous indique qu'il y ait nulle part une dimension de vérité, une *dit-mension*, la résidence du dit, de ce dit dont le savoir pose l'Autre comme lieu. Le statut du savoir implique comme tel qu'il y en a déjà, du savoir, et dans l'Autre, et qu'il est à prendre. C'est pourquoi il est fait d'*apprendre*.

Le sujet résulte de ce qu'il doive être appris, ce savoir, et même mis à prix, c'est-à-dire que c'est son coût qui l'évalue, non pas comme d'échange, mais comme d'usage. Le savoir vaut juste autant qu'il coûte, *beau-coût,* de ce qu'il faille y mettre de sa peau, de ce qu'il soit difficile, difficile de quoi ? – moins de l'acquérir que d'en jouir.

Là, dans le jouir, la conquête de ce savoir se renouvelle chaque fois qu'il est exercé, le pouvoir qu'il donne restant toujours tourné vers sa jouissance.

Il est étrange que cela n'ait jamais été mis en relief, que le sens du savoir est tout entier là, que la difficulté de son exercice est cela même qui rehausse celle de son acquisition. C'est de ce que, à chaque exercice de cette acquisition, se répète qu'il ne fait pas question laquelle de ces répétitions est à poser comme première dans son appris.

Bien sûr qu'il y a des choses qui courent et qui ont tout à fait l'air de marcher comme des petites machines – on appelle ça des ordinateurs. Qu'un ordinateur pense, moi je le veux bien. Mais qu'il sache, qui est-ce qui va le dire ? Car la fondation d'un savoir est que la jouissance de son exercice est la même que celle de son acquisition.

Là se rencontre de façon sûre, plus sûre que dans Marx lui-même, ce qu'il en est d'une valeur d'usage, puisque aussi bien, dans Marx, elle n'est là que pour faire point idéal par rapport à la valeur d'échange où tout se résume.

Parlons-en, de cet appris qui ne repose pas sur l'échange. Du savoir d'un Marx dans la politique – qui n'est pas rien – on ne fait pas *commarxe*, si vous me permettez. Pas plus qu'on ne peut, de celui de Freud, faire *fraude*.

Il n'y a qu'à regarder, pour voir que, partout où on ne les retrouve pas, ces savoirs, se les être fait entrer dans la peau par de dures expériences, ça retombe sec. Ça ne s'importe, ni ne s'exporte. Il n'y a pas d'information qui tienne, sinon de la mesure d'un formé à l'usage.

Ainsi se déduit le fait que le savoir est dans l'Autre, qu'il ne doive rien à l'être si ce n'est que celui-ci en ait véhiculé la lettre. D'où il résulte que l'être puisse tuer là où la lettre reproduit, mais reproduit jamais le même, jamais le même être de savoir.

Je pense que vous sentez là, quant au savoir, la fonction que je donne à la lettre. C'est celle à propos de quoi je vous prie de ne pas trop vite glisser du côté des prétendus messages. C'est celle qui fait la lettre analogue d'un germen, germen que nous devons, si nous sommes dans la ligne de la physiologie moléculaire, sévèrement séparer des corps auprès desquels il véhicule vie et mort tout ensemble.

Marx et Lénine, Freud et Lacan ne sont pas couplés dans l'être. C'est par la lettre qu'ils ont trouvée dans l'Autre que, comme êtres de savoir, ils procèdent deux par deux, dans un Autre supposé. Le nouveau de leur savoir, c'est que n'en est pas supposé que l'Autre en sache rien – non pas bien sûr l'être qui y a fait lettre – car c'est bien de l'Autre qu'il a fait lettre à ses dépens, au prix de son être, mon Dieu, pour chacun pas de rien du tout, mais non plus pas très beaucoup, pour dire la vérité.

Ces êtres, d'où se fait la lettre, je vais vous faire sur eux une petite confidence. Je ne pense pas, malgré tout ce qu'on a pu raconter par exemple de Lénine, que la haine ni l'amour, que l'hainamoration, en ait vraiment étouffé aucun. Qu'on ne me raconte pas d'histoire à propos de Madame Freud ! Là-dessus, j'ai le témoignage de Jung. Il disait la vérité. C'était même son tort – il ne disait que ça.

Ceux qui arrivent à faire ces sortes de rejets d'être, encore, c'est plutôt ceux qui participent du mépris. Je vous ferai l'écrire cette fois, puisque aujourd'hui je m'amuse, *méprix*. Ça fait *uniprix*. Nous sommes au temps des *supermarkets,* alors il faut savoir ce qu'on est capable de produire, même en fait d'être.

L'embêtant est que l'Autre, le lieu, lui, ne sache rien. On ne peut plus haïr Dieu si lui-même ne sait rien, notamment de ce qui se passe. Quand on pouvait le haïr, on pouvait croire qu'il nous aimait, puisqu'il ne nous le rendait pas. C'était pas apparent, malgré que, dans certains cas, on y a mis toute la gomme.

Enfin, comme j'arrive au bout de ces discours que j'ai le courage de poursuivre devant vous, je voudrais vous dire une idée qui me vient là, à quoi j'ai un tout petit peu réfléchi. On nous explique le malheur du Christ par une idée de sauver les hommes, je trouve plutôt que c'est de sauver Dieu qu'il s'agissait, en redonnant un peu de présence, d'actualité, à cette haine de Dieu sur laquelle, nous sommes, et pour cause, plutôt mous.

C'est de là que je dis que l'imputation de l'inconscient est un fait de charité incroyable. Ils savent, ils savent, les sujets. Mais enfin tout de même, ils ne savent pas tout. Au niveau de ce pas-tout, il n'y a plus que l'Autre à ne pas savoir. C'est l'Autre qui fait le pas-tout, justement en ce qu'il est la part du pas-savant-du-tout dans ce pas-tout.

Alors, momentanément, ça peut être commode de le rendre responsable de ceci, à quoi aboutit l'analyse de la façon la plus avouée à ceci près que personne ne s'en aperçoit, – si la libido n'est que masculine, la chère femme, ce n'est que de là où elle est toute, c'est-à-dire là d'où la voit l'homme, rien que de là que la chère femme peut avoir un inconscient.

Et à quoi ça lui sert ? Ça lui sert, comme chacun sait, à faire parler l'être parlant, ici réduit à l'homme, c'est-à-dire – je ne sais pas si vous l'avez bien remarqué dans la théorie analytique – à n'exister que comme mère. Elle a des effets d'inconscient, mais son inconscient à elle – à la limite où elle n'est pas responsable de l'inconscient de tout le monde, c'est-à-dire au point où l'Autre à qui elle a affaire, le grand Autre, fait qu'elle ne sait rien, parce que lui, l'Autre, sait d'autant moins que c'est très difficile de soutenir son existence – cet inconscient, qu'en dire ? – sinon à tenir avec Freud qu'il ne lui fait pas la partie belle.

J'ai joué la dernière fois, comme je me le permets, sur l'équivoque un peu tirée par les cheveux de *il hait* et *il est*. Je n'en jouis pas, sinon à poser la question qu'elle soit digne de la paire de ciseaux. C'est justement de quoi il s'agit dans la castration.

Que l'être comme tel provoque la haine n'est pas exclu. Certes, toute l'affaire d'Aristote a été au contraire de concevoir l'être comme étant ce par quoi les êtres moins êtres participent au plus haut des êtres. Et saint Thomas a réussi à réintroduire ça dans la tradition chrétienne – ce qui n'est pas surprenant, vu que, pour s'être répandue chez les Gentils, elle était bien forcée de s'y être tout entière formée, de sorte qu'il n'y avait qu'à tirer sur les ficelles pour que ça remarche. Mais se rend-on compte que tout dans la tradition juive va là contre ? La coupure n'y passe pas du plus parfait au moins parfait. Le moins parfait y est tout simplement ce qu'il est, à savoir radicalement imparfait, et il n'y a strictement qu'à obéir au doigt et à l'œil, si j'ose m'exprimer ainsi, à celui qui porte le nom de Jahvé, avec d'ailleurs quelques autres noms dans l'entourage. Celui-ci a fait choix de son peuple, et il n'y a pas à aller contre.

Est-ce que là ne se dénude pas que c'est bien mieux que de l'*être-haïr,* de le trahir à l'occasion, et c'est ce dont, bien évidemment, les Juifs ne se sont pas privés. Ils ne pouvaient pas en sortir autrement.

Nous en sommes, sur ce sujet de la haine, si étouffés, que personne ne s'aperçoit qu'une haine, une haine solide, ça s'adresse à l'être, à l'être même de quelqu'un qui n'est pas forcément Dieu.

On en reste – et c'est bien en quoi j'ai dit que le *a* est un semblant d'être – à la notion – et c'est là que l'analyse, comme toujours, est un petit peu boiteuse – à la notion de la haine jalouse, celle qui jaillit de la *jalouissance,* de celle qui *s'imageaillisse* du regard chez saint Augustin qui l'observe, le petit bonhomme. Il est là en tiers. Il observe le petit bonhomme et, *pallidus,* il en pâlit, d'observer, suspendu à la tétine, le *conlactaneum suum.* Heureusement que c'est la jouissance substitutive première, dans l'énonciation freudienne, le désir évoqué d'une métonymie qui s'inscrit d'une demande supposée, adressée à l'Autre, de ce noyau de ce que j'ai appelé *Ding,* dans mon séminaire de *L'Éthique de la psychanalyse,* soit la Chose freudienne, et, en d'autres termes, le prochain même que Freud se refuse à aimer au-delà de certaines limites.

L'enfant regardé lui l'a, le *a*. Est-ce qu'avoir le *a,* c'est l'être ? Voilà la question sur laquelle je vous laisse aujourd'hui.

20 MARS 1973.

COMPLÉMENT

Début de la séance suivante : LA POSITION DU LINGUISTE.

Je ne parle guère de ce qui paraît, quand il s'agit de quelque chose de moi, d'autant plus qu'il me faut en général assez l'attendre pour que l'intérêt s'en distancie pour moi. Néanmoins, il ne serait pas mauvais pour la prochaine fois que vous ayez lu quelque chose que j'ai intitulé *L'Étourdit,* qui part de la distance qu'il y a du dire au dit.

Qu'il n'y ait d'être que dans le dit, c'est une question que nous laisserons en suspens. Il est certain qu'il n'y a du dit que de l'être, mais cela n'impose pas la réciproque. Par contre, ce qui est mon dire, c'est qu'il n'y a de l'inconscient que du dit. Nous ne pouvons traiter de l'inconscient qu'à partir du dit, et du dit de l'analysant. Ça, c'est un dire.

Comment dire ? C'est là la question. On ne peut pas dire n'importe comment, et c'est le problème de qui habite le langage, à savoir de nous tous.

C'est bien pourquoi aujourd'hui – à propos de cette béance que j'ai voulu exprimer un jour en distinguant de la linguistique ce que je fais ici, c'est-à-dire de la linguisterie – j'ai demandé à quelqu'un, qui à ma grande reconnaissance a bien voulu y accéder, de venir aujourd'hui vous dire ce qu'il en est actuellement de la position du linguiste. Personne n'en est plus qualifié que celui que je vous présente, Jean-Claude Milner, un linguiste.

Fin de la séance : REMERCIEMENTS.

Je ne sais pas ce que je peux faire dans le quart d'heure qui me reste. Je me guiderai sur une notion éthique. L'éthique – comme peuvent peut-être l'entrevoir ceux qui m'ont entendu en parler autrefois – a le plus grand rapport avec notre habitation du langage, et c'est aussi – comme l'a frayé un certain auteur que j'évoquerai une autre fois – de l'ordre du geste. Quand on habite le langage, il y a des gestes qu'on fait, gestes de salutation, de prosternation à l'occasion, d'admiration quand il s'agit d'un autre point de fuite, le beau. Cela implique que ça ne va pas au-delà. On fait un geste et puis on se conduit comme tout le monde, c'est-à-dire comme le reste des canailles.

Néanmoins, il y a geste et geste. Et le premier geste qui m'est littéralement dicté par cette référence éthique, ce doit être celui de remercier Jean-Claude Milner pour ce qu'il nous a donné du point présent de la faille qui s'ouvre dans la linguistique elle-même. Cela justifie peut-être un certain nombre de conduites que nous ne devons peut-être – je parle de moi – qu'à une certaine distance où nous étions de cette science en ascension, quand elle croyait pouvoir le devenir, science. Il est certain que l'information que nous avons prise maintenant était pour nous de toute urgence. En effet, il est quand même très difficile de ne pas s'apercevoir que, pour ce qui est de la technique analytique, si le sujet qui est en face de nous ne dit rien, c'est une difficulté dont le moins qu'on puisse dire est qu'elle est tout à fait spéciale.

Ce que j'avançais, en écrivant *lalangue* en un seul mot, c'était bien ce par quoi je me distingue du structuralisme, pour autant qu'il intégrerait le langage à la sémiologie – et ça me paraît être une des nombreuses lumières qu'a projetées Jean-Claude Milner. Comme l'indique le petit livre que je vous ai fait lire sous le titre du *Titre de la lettre,* c'est bien d'une subordination du signe au regard du signifiant qu'il s'agit dans tout ce que j'ai avancé.

Il faut aussi que je prenne le temps de faire hommage à Recanati qui, dans son intervention, m'a assurément prouvé que j'étais bien entendu. On peut le voir dans toutes les questions en pointe qu'il a avancées, et qui sont, en quelque sorte, celles dans lesquelles il me reste cette fin d'année à vous fournir ce que j'ai dès maintenant comme réponse. Qu'il ait terminé sur la question de Kierkegaard et de Régine est absolument exemplaire – comme je n'y avais fait jusqu'alors qu'une brève allusion, c'est bien là de son cru. On ne peut pas mieux illustrer, au point où j'en suis de ce frayage que je fais devant vous, l'effet de résonance qui est simplement que quelqu'un pige de quoi il s'agit. Par les questions qu'il m'a proposées, je serai assurément aidé dans ce que j'ai à vous dire dans la suite. Je lui demanderai son texte pour que je puisse m'y référer quand il se trouvera que je puisse y répondre.

Qu'il se soit référé aussi à Berkeley, il n'en avait aucune indication dans ce que j'ai énoncé devant vous, et c'est bien en quoi je lui suis encore plus reconnaissant. Pour tout vous dire, j'ai même pris soin tout récemment de me procurer une édition originale – figurez-vous que je suis bibliophile, mais il n'y a que les livres que j'ai envie de lire que j'essaye de me procurer dans leur original. J'ai revu à cette occasion, dimanche dernier, ce *Minute philosopher,* ce menu philosophe, *Alciphron* l'appelle-t-on aussi. Il est certain que si Berkeley n'avait pas été de ma nourriture la plus ancienne, bien des choses probablement, y compris ma désinvolture à me servir des références linguistiques, n'auraient pas été possibles.

Je voudrais quand même dire quelque chose concernant

le schéma que Recanati a dû effacer tout à l'heure. C'est vraiment la question – être hystérique ou pas. Y en a-t-il Un ou pas ? En d'autres termes, ce pas-toute, dans une logique qui est la logique classique, semble impliquer l'existence du Un qui fait exception. Dès lors, ce serait là que nous verrions le surgissement en abîme – et vous allez voir pourquoi je le qualifie ainsi – de cette existence, cette au-moins-une existence qui, au regard de la fonction Φx, s'inscrit pour la dire. Car le propre du dit, c'est l'être, je le disais tout à l'heure. Mais le propre du dire, c'est d'exister par rapport à quelque dit que ce soit.

La question est alors de savoir, en effet, si d'un pas-tout, d'une objection à l'universel, peut résulter ceci qui s'énoncerait d'une particularité qui y contredit – vous voyez là que je reste au niveau de la logique aristotélicienne.

Seulement voilà. De ce qu'on puisse écrire *pas-tout x ne s'inscrit dans* Φx, il se déduit par voie d'implication qu'il y a un x qui y contredit. C'est vrai à une seule condition, c'est que, dans le tout ou le pas-tout dont il s'agit, il s'agisse du fini. Pour ce qui est du fini, il y a non seulement implication, mais équivalence. Il suffit qu'il y en ait un qui contredise à la formule universalisante pour que nous devions l'abolir et la transformer en particulière. Ce pas-tout devient l'équivalent de ce qui, en logique aristotélicienne, s'énonce du particulier. Il y a l'exception. Seulement, nous pouvons avoir à faire au contraire à l'infini. Ce n'est plus alors du côté de l'extension que nous devons prendre le pas-toute. Quand je dis que la femme n'est pas-toute et que c'est pour cela que je ne peux pas dire *la* femme, c'est précisément parce que je mets en question une jouissance qui au regard de tout ce qui se sert dans la fonction de Φx est de l'ordre de l'infini.

Or, dès que vous avez affaire à un ensemble infini, vous ne sauriez poser que le pas-tout comporte l'existence de quelque chose qui se produise d'une négation, d'une

contradition. Vous pouvez à la rigueur le poser comme
d'une existence indéterminée. Seulement, on sait par l'extension de la logique mathématique, celle qui se qualifie
précisément d'intuitionniste, que pour poser un « il
existe », il faut aussi pouvoir le construire, c'est-à-dire
savoir trouver où est cette existence.

C'est sur ce pied que je me fonde pour produire cet écar-
tèlement qui pose une existence très bien qualifiée par Recanati d'excentrique à la vérité. C'est entre le Ǝ x et le Ǝ x
que se situe la suspension de cette indétermination, entre
une existence qui se trouve de s'affirmer, et la femme en
tant qu'elle ne se trouve pas, ce que confirme le cas de
Régine.

Pour terminer, je vous dirai quelque chose qui va faire,
selon mon mode, un tout petit peu énigme. Si vous relisez
quelque part cette chose que j'ai écrite sous le nom de *La
Chose freudienne*, entendez-y ceci, qu'il n'y a qu'une
manière de pouvoir écrire *la* femme sans avoir à barrer le
la – c'est au niveau où la femme, c'est la vérité. Et c'est
pour ça qu'on ne peut qu'en mi-dire.

*On lira l'article sur quoi se fonde l'exposé de J.-C. Mil-
ner dans son livre*, Arguments linguistiques, *pages 179 à
217. Paris, 1973.*

10 AVRIL 1973.

IX

DU BAROQUE

Là où ça parle, ça jouit, et ça sait rien.

Je pense à vous. Ça ne veut pas dire que je vous pense.

Quelqu'un ici peut-être se souvient de ce que j'ai parlé d'une langue où l'on dirait – *j'aime à vous*, en quoi elle se modèlerait mieux qu'une autre sur le caractère indirect de cette atteinte qui s'appelle l'amour.

Je pense à vous, c'est bien déjà faire objection à tout ce qui pourrait s'appeler *sciences humaines* dans une certaine conception de la science, non pas cette science qui se fait depuis seulement quelques siècles, mais celle qui s'est définie d'une certaine façon avec Aristote. D'où il résulte qu'il faut se demander, sur le principe de ce que nous a apporté le discours analytique, par quelles voies peut bien passer cette science nouvelle qui est la nôtre.

Cela implique que je formule d'abord d'où nous partons. D'où nous partons, c'est de ce que nous donne le discours analytique, à savoir l'inconscient. C'est pourquoi je vous limerai d'abord quelques formules un peu serrées concernant ce qu'il en est de l'inconscient au regard de la science traditionnelle. Ce qui nous fait nous poser la question – comment une science encore est-elle possible après ce qu'on peut dire de l'inconscient ?

Je vous annonce déjà que, si surprenant que cela puisse vous paraître, cela me conduira aujourd'hui à vous parler du christianisme.

1

Je commence par mes formules difficiles, ou que je suppose devoir être telles – *l'inconscient, ce n'est pas que l'être pense,* comme l'implique pourtant ce qu'on en dit dans la science traditionnelle – *l'inconscient, c'est que l'être, en parlant, jouisse, et,* j'ajoute, *ne veuille rien en savoir de plus.* J'ajoute que cela veut dire – *ne rien savoir du tout.*

Pour abattre tout de suite une carte que j'aurais pu vous faire attendre un peu – *il n'y a pas de désir de savoir,* ce fameux *Wissentrieb* que quelque part pointe Freud.

Là, Freud se contredit. Tout indique – c'est là le sens de l'inconscient – non seulement que l'homme sait déjà tout ce qu'il a à savoir, mais que ce savoir est parfaitement limité à cette jouissance insuffisante que constitue qu'il parle.

Vous voyez bien que cela comporte une question sur ce qu'il en est de cette science effective que nous possédons bien sous le nom d'une physique. En quoi cette nouvelle science concerne-t-elle le réel ? La faute de la science que je qualifie de traditionnelle pour être celle qui nous vient de la pensée d'Aristote, sa faute est d'impliquer que le pensé est à l'image de la pensée, c'est-à-dire que l'être pense.

Pour aller à un exemple qui vous soit proche, j'avancerai que ce qui rend ce qu'on appelle *rapports humains* vivable, ce n'est pas d'y penser.

C'est là-dessus qu'en somme s'est fondé ce qu'on appelle comiquement *behaviourism* – la conduite, à son dire, pourrait être observée de telle sorte qu'elle s'éclaire par sa fin. C'est là-dessus qu'on a espéré fonder les sciences humaines, envelopper tout comportement, n'y étant supposée l'intention d'aucun sujet. D'une finalité posée comme de ce comportement faisant objet, rien de plus facile, cet objet ayant sa propre régulation, que de l'imaginer dans le système nerveux.

L'ennui, c'est qu'il ne fait rien de plus que d'y injecter tout ce qui s'est élaboré philosophiquement, aristotéliciennement, de l'âme. Rien n'est changé. Cela se touche de ce que le *behaviourism* ne s'est distingué, que je sache, par aucun bouleversement de l'éthique, c'est-à-dire des habitudes mentales, de l'habitude *fonda-mentale*. L'homme, n'étant qu'un objet, sert à une fin. Il se fonde – quoi qu'on en pense, c'est toujours là – de sa cause finale, laquelle est vivre, dans l'occasion, ou plus exactement survivre, c'est-à-dire atermoyer la mort et dominer le rival.

Il est clair que le nombre des pensées implicites dans une telle conception du monde, *Weltanschauung* comme on dit, est proprement incalculable. C'est toujours de l'équivalence de la pensée et du pensé qu'il s'agit.

Ce qui est le plus certain du mode de penser de la science traditionnelle, c'est ce qu'on appelle son classicisme – soit le règne aristotélicien de la classe, c'est-à-dire du genre et de l'espèce, autrement dit de l'individu considéré comme spécifié. C'est l'esthétique aussi qui en résulte, et l'éthique qui s'en ordonne. Cette éthique, je la qualifierai d'une façon simple, trop simple et qui risque de vous faire voir rouge, c'est le cas de le dire, mais vous auriez tort de voir trop vite – *la pensée est du côté du manche, et le pensé de l'autre côté,* ce qui se lit de ce que le manche est la parole – lui seul explique et rend raison.

En cela, le *behaviourism* ne sort pas du classique. C'est *dit-manche* – le dimanche de la vie, comme dit Queneau, non sans du même coup en révéler l'être d'abrutissement.

Pas évident au premier abord. Mais ce que j'en relève, c'est que ce *Dimanche* a été lu et approuvé par quelqu'un qui, dans l'histoire de la pensée, en savait un bout, Kojève nommément, qui y reconnaissait rien de moins que le savoir absolu tel qu'il nous est promis par Hegel.

2

Comme quelqu'un l'a perçu récemment, je me range –
qui me range ? est-ce que c'est lui ou est-ce que c'est moi ?
finesse de lalangue – je me range plutôt du côté du baroque.

C'est un épinglage emprunté à l'histoire de l'art.
Comme l'histoire de l'art, tout comme l'histoire et tout
comme l'art, sont affaire non pas du manche, mais de la
manche, c'est-à-dire du tour de passe-passe, il faut avant
de continuer, que je dise ce que j'entends par là – le sujet
je n'étant pas plus actif dans ce *j'entends* que dans le *je
me range*.

Et c'est ce qui va me faire plonger dans l'histoire du
christianisme. Vous ne vous y attendiez pas ?

Le baroque, c'est au départ l'historiole, la petite histoire
du Christ. Je veux dire ce que raconte l'histoire d'un
homme. Ne vous frappez pas, c'est lui-même qui s'est
désigné comme le Fils de l'Homme. Ce que racontent
quatre textes dits évangéliques, d'être pas tellement bonne
nouvelle que annonceurs bons pour leur sorte de nouvelle.
Ça peut aussi s'entendre comme ça, et ça me paraît plus
approprié. Ceux-là écrivent d'une façon telle qu'il n'y a
pas un seul fait qui ne puisse y être contesté – Dieu sait
que naturellement on a foncé dans la muleta. Ces textes
n'en sont pas moins ce qui va au cœur de la vérité, la
vérité comme telle, jusques et y compris le fait, que moi
j'énonce qu'on ne peut la dire qu'à moitié.

C'est une simple indication. Cette ébouriffante réussite
impliquerait que je prenne les textes, et que je vous fasse
des leçons sur les Évangiles. Vous voyez où ça nous entraî-
nerait.

Cela pour vous montrer qu'ils ne se serrent au plus près
qu'à la lumière des catégories que j'ai essayé de dégager
de la pratique analytique, nommément le symbolique,
l'imaginaire et le réel.

Pour nous en tenir à la première, j'ai énoncé que la vérité, c'est la *dit-mension*, la mension du dit.

Dans ce genre, les Évangiles, on ne peut pas mieux dire. On ne peut mieux dire de la vérité. C'est de cela qu'il résulte que ce sont des évangiles.

On ne peut pas même mieux faire jouer la dimension de la vérité, c'est-à-dire mieux repousser la réalité dans le fantasme.

Après tout, la suite a suffisamment démontré – je laisse les textes, je m'en tiendrai à l'effet – que cette dit-mension se soutient. Elle a inondé ce qu'on appelle le monde, en le restituant à sa vérité d'immondice. Elle a relayé ce que le Romain, maçon comme pas un, avait fondé, d'un équilibre miraculeux, universel, avec en plus des bains de jouissance qu'y symbolisent suffisamment ces fameux thermes dont il nous reste des bouts écroulés. Nous ne pouvons plus avoir aucune espèce d'idée à quel point, pour ce qui est de jouir, c'était le pompon. Le christianisme a rejeté tout ça à l'abjection considérée comme monde. C'est ainsi que ce n'est pas sans une affinité intime au problème du vrai que le christianisme subsiste.

Qu'il soit la vraie religion, comme il prétend, n'est pas une prétention excessive, et ce d'autant plus qu'à examiner le vrai de près, c'est ce qu'on peut en dire de pire.

Dans ce registre du vrai, quand on y entre, on n'en sort plus. Pour minoriser la vérité comme elle le mérite, il faut être entré dans le discours analytique. Ce que le discours analytique déloge met la vérité à sa place, mais ne l'ébranle pas. Elle est réduite, mais indispensable. D'où sa consolidation, contre quoi rien ne prévaudra – sauf ce qui subsiste encore des sagesses, mais qui ne s'y sont pas affrontées, le taoïsme par exemple, ou d'autres doctrines de salut, pour qui l'affaire n'est pas de vérité mais de voie, comme le nom *tao* l'indique, de voie, et parvenir à prolonger quelque chose qui y ressemble.

Il est vrai que l'historiole du Christ se présente, non pas comme l'entreprise de sauver les hommes, mais comme celle de sauver Dieu. Il faut reconnaître que, pour celui qui s'est chargé de cette entreprise, le Christ nommément, il y a mis le prix, c'est le moins qu'on puisse dire.

Le résultat, on doit bien s'étonner qu'il paraisse satisfaire. Que Dieu soit trois indissolublement est tout de même de nature à nous faire préjuger que le compte *un-deux-trois* lui préexiste. De deux choses l'une – ou il ne prend compte que de l'après-coup de la révélation christique, et c'est son être qui en prend un coup – ou si le trois lui est antérieur, c'est son unité qui écope. D'où devient concevable que le salut de Dieu soit précaire, et livré en somme au bon vouloir des chrétiens.

L'amusant est évidemment – je vous ai déjà raconté ça, mais vous n'avez pas entendu – que l'athéisme ne soit soutenable que par les clercs. Beaucoup plus difficile chez les laïques dont l'innocence en la matière reste totale. Rappelez-vous ce pauvre Voltaire. C'était un type malin, agile, rusé, extraordinairement sautilleur, mais tout à fait digne d'entrer dans le vide-poches d'en face, le Panthéon.

Freud heureusement nous a donné une interprétation nécessaire – qui ne cesse pas de s'écrire, comme je définis le nécessaire – du meurtre du fils, comme fondateur de la religion de la grâce. Il ne l'a pas dit tout à fait comme ça, mais il a bien marqué que ce meurtre était un mode de dénégation qui constitue une forme possible de l'aveu de la vérité.

C'est ainsi que Freud sauve à nouveau le Père. En quoi il imite Jésus-Christ. Modestement, sans doute. Il n'y met pas toute la gomme. Mais il y contribue pour sa petite part, comme ce qu'il est, à savoir un bon juif pas tout à fait à la page.

C'est excessivement répandu. Il faut qu'on les regroupe pour qu'ils prennent le mors aux dents. Combien de temps est-ce que ça durera ?

Il y a quand même quelque chose que je voudrais approcher concernant l'essence du christianisme. Vous allez aujourd'hui là-dessus en baver.

Pour ça, il faut que je reprenne de plus haut.

3

L'âme – il faut lire Aristote – c'est évidemment à quoi aboutit la pensée du manche.

C'est d'autant plus nécessaire – c'est-à-dire ne cessant pas de s'écrire – que ce qu'elle élabore là, la pensée en question, ce sont des pensées sur le corps.

Le corps, ça devrait vous épater plus. En fait, c'est bien ce qui épate la science classique – comment ça peut-il marcher comme ça ? Un corps, le vôtre, n'importe quel autre d'ailleurs, corps baladeur, il faut que ça se suffise. Quelque chose m'y a fait penser, un petit syndrome que j'ai vu sortir de mon ignorance, et qui m'a été rappelé – si par hasard les larmes tarissaient, l'œil ne marcherait plus très bien. C'est ce que j'appelle les miracles du corps. Ça se sent tout de suite. Supposez que ça ne pleure plus, que ça ne jute plus, la glande lacrymale – vous aurez des emmerdements.

Et d'autre part, c'est un fait que ça pleurniche, et pourquoi diable ? – dès que, corporellement, imaginairement ou symboliquement, on vous marche sur le pied. On vous *affecte,* on appelle ça comme ça. Quel rapport y a-t-il entre cette pleurnicherie et le fait de parer à l'imprévu, c'est-à-dire de se barrer ? C'est une formule vulgaire, mais qui dit bien ce qu'elle veut dire, parce qu'elle rejoint exactement le sujet barré, dont ici vous avez entendu quelque consonance. Le sujet se barre, en effet, je l'ai dit, et plus souvent qu'à son tour.

Constatez là seulement qu'il y a tout avantage à unifier l'expression pour le symbolique, l'imaginaire et le réel, comme – je vous le dis entre parenthèses – le faisait Aristote, qui ne distinguait pas le mouvement de l'ἀλλοίωσις. Le changement et la motion dans l'espace, c'était pour lui – mais il ne le savait pas – que le sujet se barre. Évidemment, il ne possédait pas les vraies catégories, mais quand même, il sentait bien les choses.

En d'autres termes, l'important, c'est que tout ça colle assez pour que le corps subsiste, sauf accident comme on dit, externe ou interne. Ce qui veut dire que le corps est pris pour ce qu'il se présente être, un corps fermé.

Qui ne voit que l'âme, ce n'est rien d'autre que son identité supposée, à ce corps, avec tout ce qu'on pense pour l'expliquer ? Bref l'âme, c'est ce qu'on pense à propos du corps – du côté du manche.

Et on se rassure à penser qu'il pense de même. D'où la diversité des explications. Quand il est supposé penser secret, il a des sécrétions – quand il est supposé penser concret, il a des concrétions – quand il est supposé penser information, il a des hormones. Et puis encore il s'adonne à l'ADN, à l'Adonis.

Tout cela pour vous amener à ceci, que j'ai quand même annoncé au départ sur le sujet de l'inconscient – parce que je ne parle pas uniquement comme ça, comme on flûte –, il est vraiment curieux qu'il ne soit pas mis en cause dans la psychologie que la structure de la pensée repose sur le langage. Ledit langage – c'est là tout le nouveau de ce terme *structure*, les autres ils en font ce qu'ils en veulent, mais moi, ce que je fais remarquer, c'est ça – ledit langage comporte une inertie considérable, ce qui se voit à comparer son fonctionnement aux signes qu'on appelle mathématiques, mathèmes, uniquement de ce fait qu'eux se transmettent intégralement. On ne sait absolument pas ce qu'ils veulent dire, mais ils se transmettent. Il n'en reste pas moins qu'ils ne se transmettent qu'avec l'aide du langage, et c'est ce qui fait toute la boiterie de l'affaire.

Qu'il y ait quelque chose qui fonde l'être, c'est assurément le corps. Là-dessus, Aristote ne s'y est pas trompé.

Des corps, il en a débrouillé beaucoup, un par un, voir l'histoire des animaux. Mais il n'arrive pas, lisez-le bien, à faire le joint avec son affirmation – vous n'avez jamais lu naturellement le *De Anima,* malgré mes supplications – que l'homme pense *avec* – instrument – son âme, c'est-à-dire, je viens de vous le dire, les mécanismes supposés dont se supporte son corps.

Naturellement, faites attention. C'est nous qui en sommes aux mécanismes, à cause de notre physique – qui est déjà, d'ailleurs, une physique sur une voie de garage, parce que depuis la physique quantique, pour les mécanismes, ça saute. Aristote n'était pas entré dans les défilés du mécanisme. Alors, *l'homme pense avec son âme,* ça veut dire que l'homme pense avec la pensée d'Aristote. En quoi la pensée est naturellement du côté du manche.

Il est évident qu'on avait quand même essayé de faire mieux. Il y a encore autre chose avant la physique quantique – l'énergétisme et l'idée d'homéostase. Ce que j'ai appelé l'inertie dans la fonction du langage fait que toute parole est une énergie encore non prise dans une énergétique, parce que cette énergétique n'est pas commode à mesurer. L'énergétique, c'est faire sortir de l'énergie non pas des quantités, mais des chiffres choisis d'une façon complètement arbitraire, avec lesquels on s'arrange à ce qu'il reste toujours quelque part une constante. Pour l'inertie en question, nous sommes forcés de la prendre au niveau du langage lui-même.

Quel rapport peut-il bien y avoir entre l'articulation qui constitue le langage, et une jouissance qui se révèle être la substance de la pensée, de cette pensée si aisément reflétée dans le monde par la science traditionnelle ? Cette jouissance est celle qui fait que Dieu, c'est l'être suprême, et que cet être suprême ne peut, dixit Aristote, rien être d'autre que le lieu d'où se sait quel est le bien de tous les autres. Cela n'a pas grand rapport, n'est-ce pas, avec la pensée, si nous la considérons dominée avant tout par l'inertie du langage.

Ce n'est pas très étonnant qu'on n'ait pas su comment serrer, coincer, faire couiner la jouissance en se servant de ce qui paraît le mieux pour supporter l'inertie du langage, à savoir l'idée de la chaîne, des bouts de ficelle autrement dit, des bouts de ficelle qui font des ronds et qui, on ne sait trop comment, se prennent les uns avec les autres.

J'ai déjà une fois avancé devant vous cette notion, et j'essaierai de faire mieux. C'était donc l'année dernière – je m'étonne moi-même, à mesure que j'avance en âge, que les choses de l'année dernière me paraissent il y a cent ans – que j'ai pris pour thème la formule que j'ai cru pouvoir supporter du nœud borroméen – *je te demande de refuser ce que je t'offre parce que ce n'est pas ça.*

C'est une formule soigneusement adaptée à son effet, comme toutes celles que je profère. Voyez *L'Étourdit.* Je n'ai pas dit *le dire reste oublié,* etc., j'ai dit *qu'on dise.* De même ici, je n'ai pas dit *parce que ce n'est que ça.*

Ce n'est pas ça – voilà le cri par où se distingue la jouissance obtenue, de celle attendue. C'est où se spécifie ce qui peut se dire dans le langage. La négation a toute semblance de venir de là. Mais rien de plus.

La structure, pour s'y brancher, ne démontre rien, sinon qu'elle est du texte même de la jouissance, en tant qu'à marquer de quelle distance elle manque, celle dont il s'agirait si *c'était ça,* elle ne suppose pas seulement celle qui serait ça, elle en supporte une autre.

Voilà. Cette dit-mension – je me répète, mais nous sommes dans un domaine où justement la loi, c'est la répétition – cette dit-mension, c'est le dire de Freud.

C'est même la preuve de l'existence de Freud – dans un certain nombre d'années, il en faudra une. Tout à l'heure je l'ai rapproché d'un petit copain, du Christ. La preuve de l'existence du Christ, elle est évidente, c'est le christianisme. Le christianisme, en fait, c'est accroché là. Enfin, pour l'instant, on a les *Trois Essais sur la sexualité,* auxquels je vous prie de vous reporter, parce que j'aurai à en faire de nouveau usage sur ce que j'appelle *la dérive* pour traduire *Trieb*, la dérive de la jouissance.

Tout ça, j'y insiste, c'est proprement ce qui a été collabé pendant toute l'antiquité philosophique par l'idée de la connaissance.

Dieu merci, Aristote était assez intelligent pour isoler dans l'intellect-agent ce dont il s'agit dans la fonction symbolique. Il a simplement vu que le symbolique, c'est là que l'intellect devait agir. Mais il n'était pas assez intelligent – pas assez parce que n'ayant pas joui de la révélation chrétienne – pour penser qu'une parole, fût-ce la sienne, à désigner ce νοῦζ qui ne se supporte que du langage, concerne la jouissance – laquelle pourtant se désigne chez lui métaphoriquement partout.

Toute cette histoire de la matière et de la forme, qu'est-ce que ça suggère comme vieille histoire concernant la copulation ! Ça lui aurait permis de voir que ce n'est pas du tout ça, qu'il n'y a pas la moindre connaissance, mais que les jouissances qui en supportent le semblant, c'est quelque chose comme le spectre de la lumière blanche. A cette seule condition qu'on voie que la jouissance dont il s'agit est hors du champ de ce spectre.

Il s'agit de métaphore. Pour ce qu'il en est de la jouissance, il faut mettre la fausse finalité comme répondant à ce qui n'est que pure fallace d'une jouissance qui serait adéquate au rapport sexuel. A ce titre, toutes les jouissances ne sont que des rivales de la finalité que ça serait si la jouissance avait le moindre rapport avec le rapport sexuel.

4

Je vais en remettre une petite coulée sur le Christ, parce que c'est un personnage important, et parce que ça vient là pour commenter le baroque. Ce n'est pas pour rien qu'on dit que mon discours participe du baroque.

Je vais poser une question – quelle importance peut-il y avoir dans la doctrine chrétienne à ce que le Christ ait une âme ? Cette doctrine ne parle que de l'incarnation de Dieu dans un corps, et suppose bien que la passion soufferte en cette personne ait fait la jouissance d'une autre. Mais il n'y a rien qui ici manque, pas d'âme notamment.

Le Christ, même ressuscité, vaut par son corps, et son corps est le truchement par où la communion à sa présence est incorporation – pulsion orale – dont l'épouse du Christ, Église comme on l'appelle, se contente fort bien, n'ayant rien à attendre d'une copulation.

Dans tout ce qui a déferlé des effets du christianisme, dans l'art notamment – c'est en cela que je rejoins ce baroquisme dont j'accepte d'être habillé – tout est exhibition de corps évoquant la jouissance – croyez-en le témoignage de quelqu'un qui revient d'une orgie d'églises en Italie. A la copulation près. Si elle n'est pas présente, ce n'est pas pour des prunes.

Elle est aussi hors champ qu'elle l'est dans la réalité humaine, qu'elle sustente pourtant des fantasmes dont elle est constituée.

Nulle part, dans aucune aire culturelle, cette exclusion ne s'est avouée de façon plus nue. Je dirai un peu plus – ne croyez pas que mes dires, je ne vous les dose pas – j'irai jusque-là, à vous dire que, nulle part comme dans le christianisme, l'œuvre d'art comme telle ne s'avère de façon plus patente pour ce qu'elle est de toujours et partout – obscénité.

La dit-mension de l'obscénité, voilà ce par quoi le christianisme ravive la religion des hommes. Je ne vais pas vous donner une définition de la religion, parce qu'il n'y a pas plus d'histoire de la religion que d'histoire de l'art. *Les* religions, c'est comme *les* arts, c'est une poubelle, car ça n'a pas la moindre homogénéité.

Il y a quand même quelque chose dans ces ustensiles qu'on fabrique à qui mieux mieux. Ce dont il s'agit, c'est

pour ces êtres qui de nature parlent, l'urgence que constitue qu'ils aillent au déduit amoureux sous des modes
exclus de ce que je pourrais appeler – si c'était concevable,
au sens que j'ai donné tout à l'heure au mot *âme*, à savoir
ce qui fait que ça fonctionne – l'âme de la copulation.
J'ose supporter de ce mot ce qui, à les y pousser effectivement si ça était l'âme de la copulation, serait élaborable par
ce que j'appelle une physique, qui dans l'occasion n'est
rien que ceci – une pensée supposable au penser.

Il y a là un trou, et ce trou s'appelle l'Autre. Du moins
est-ce ainsi que j'ai cru pouvoir le dénommer, l'Autre en
tant que lieu où la parole, d'être déposée – vous ferez
attention aux résonances – fonde la vérité, et avec elle le
pacte qui supplée à l'inexistence du rapport sexuel, en tant
qu'il serait pensé, pensé pensable autrement dit, et que le
discours ne serait pas réduit à ne partir – si vous vous souvenez du titre d'un de mes séminaires – que du semblant.

Que la pensée n'agisse dans le sens d'une science qu'à
être supposée au penser, c'est-à-dire que l'être soit supposé penser, c'est ce qui fonde la tradition philosophique à
partir de Parménide. Parménide avait tort et Héraclite raison. C'est bien ce qui se signe à ce que, au fragment 93,
Héraclite énonce – οὔτε λέγει οὔτε ἄρύπτει ἀλλὰ
σημαίνει *il n'avoue ni ne cache, il signifie*, remettant à sa
place le discours du manche lui-même – ὁ ἄναξ οὗ τὸ
μαντεῖόν ἐστι τὸ ἐν Δελφοῖς, *le prince*, le manche, *qui
vaticine à Delphes*.

Vous savez l'histoire folle, celle qui fait quant à moi le
délire de mon admiration? Je me mets en huit par terre
quand je lis saint Thomas. Parce que c'est rudement bien
foutu. Pour que la philosophie d'Aristote ait été par saint
Thomas réinjectée dans ce qu'on pourrait appeler la
conscience chrétienne si ça avait un sens, c'est quelque
chose qui ne peut s'expliquer que parce que – enfin, c'est
comme les psychanalystes – les chrétiens ont horreur de
ce qui leur a été révélé. Et ils ont bien raison.

Cette béance inscrite au statut même de la jouissance en tant que dit-mension du corps, chez l'être parlant, voilà ce qui rejaillit avec Freud par ce test – je ne dis rien de plus – qu'est l'existence de la parole. Là où ça parle, ça jouit. Et ça ne veut pas dire que ça sache rien, parce que, quand même, jusqu'à nouvel ordre, l'inconscient ne nous a rien révélé sur la physiologie du système nerveux, ni sur le fonctionnement du bandage, ni sur l'éjaculation précoce.

Pour en finir avec cette histoire de la vraie religion, je pointerai, pendant qu'il en est encore temps, que Dieu ne se manifeste que des écritures qui sont dites saintes. Elles sont saintes en quoi ? – en ce qu'elles ne cessent pas de répéter l'échec – lisez Salomon, c'est le maître des maîtres, c'est le *senti-maître*, un type dans mon genre – l'échcc des tentatives d'une sagesse dont l'être serait le témoignage.

Tout cela ne veut pas dire qu'il n'y ait pas eu des trucs de temps en temps, grâce auxquels la jouissance – sans elle, il ne saurait y avoir de sagesse – a pu se croire venue à cette fin de satisfaire la pensée de l'être. Seulement voilà – jamais cette fin n'a été satisfaite qu'au prix d'une castration.

Dans le taoïsme par exemple – vous ne savez pas ce que c'est, très peu le savent, mais moi, je l'ai pratiqué, j'ai pratiqué les textes bien sûr – l'exemple en est patent dans la pratique même du sexe. Il faut retenir son foutre, pour être bien. Le bouddhisme, lui, est l'exemple trivial par son renoncement à la pensée elle-même. Ce qu'il y a de mieux dans le bouddhisme, c'est le zen, et le zen, ça consiste à ça – à te répondre par un aboiement, mon petit ami. C'est ce qu'il y a de mieux quand on veut naturellement sortir de cette affaire infernale, comme disait Freud.

La fabulation antique, la mythologie comme vous appelez ça – Claude Lévi-Strauss aussi appelle ça comme ça – de l'aire méditerranéenne – qui est justement celle à laquelle on ne touche pas, parce que c'est la plus foisonnante, et surtout parce qu'on en a fait de tels jus qu'on ne sait plus par quel bout la prendre –, la mythologie est parvenue aussi à quelque chose dans le genre de la psychanalyse.

Les dieux, il y en avait à la pelle, des dieux, il suffisait de trouver le bon, et ça faisait ce truc contingent qui fait que quelquefois, après une analyse, nous aboutissons à ce qu'un chacun baise convenablement sa *une chacune*. C'étaient quand même des dieux, c'est-à-dire des représentations un peu consistantes de l'Autre. Passons sur la faiblesse de l'opération analytique.

Chose très singulière, cela est si parfaitement compatible avec la croyance chrétienne que de ce polythéisme nous avons vu la renaissance, à l'époque épinglée du même nom.

Je vous dis tout ça parce que justement je reviens des musées, et qu'en somme la contre-réforme, c'était revenir aux sources, et que le baroque, c'en est l'étalage.

Le baroque, c'est la régulation de l'âme par la scopie corporelle.

Il faudrait une fois – je ne sais pas si j'aurai jamais le temps – parler de la musique, dans les marges. Je parle seulement pour l'heure de ce qui se voit dans toutes les églises d'Europe, tout ce qui s'accroche aux murs, tout ce qui croule, tout ce qui délice, tout ce qui délire. Ce que j'ai appelé tout à l'heure l'obscénité – mais exaltée.

Je me demande, pour quelqu'un qui vient du fin fond de la Chine, quel effet ça doit pouvoir lui faire, ce ruissellement de représentations de martyrs. Et je dirai que ça se renverse. Ces représentations sont elles-mêmes martyres – vous savez que *martyr* veut dire témoin – d'une souffrance plus ou moins pure. C'était là notre peinture jusqu'à ce qu'on ait fait le vide en commençant sérieusement à s'occuper de petits carrés.

Il y a là une réduction de l'espèce humaine – ce nom, *humaine*, résonne comme *humeur malsaine*, il y a un reste qui fait *malheur*. Cette réduction, c'est le terme par où l'Église entend porter l'espèce, justement, jusqu'à la fin des temps. Et elle est si fondée dans la béance propre à la sexualité de l'être parlant, qu'elle risque d'être au moins aussi fondée, disons, – parce que je ne veux pas désespérer de rien – que l'avenir de la science.

L'avenir de la science, c'est le titre qu'a donné à un de ses bouquins cet autre cureton qui s'appelait Ernest Renan, et qui était un serviteur de la vérité, lui aussi, à tout crin. Il n'en exigeait qu'une chose – mais c'était absolument premier, sans quoi c'était la panique – qu'elle n'ait aucune conséquence.

L'économie de la jouissance, voilà ce qui n'est pas encore près du bout de nos doigts. Ça aurait son petit intérêt qu'on y arrive. Ce qu'on peut en voir à partir du discours analytique, c'est que, peut-être, on a une petite chance de trouver quelque chose là-dessus, de temps en temps, par des voies essentiellement contingentes.

Si mon discours d'aujourd'hui n'était pas quelque chose d'absolument, d'entièrement négatif, je tremblerais d'être rentré dans le discours philosophique. Quand même, puisque nous avons déjà vu quelques sagesses qui ont duré un petit bout de temps, pourquoi ne retrouverait-on pas avec le discours analytique, quelque chose qui donnerait aperçu d'un truc précis ? Après tout, qu'est-ce que l'énergétique si ce n'est aussi un truc mathématique ? Le truc analytique ne sera pas mathématique. C'est bien pour ça que le discours de l'analyse se distingue du discours scientifique.

Enfin, cette chance, mettons-la sous le signe d'au petit bonheur – *encore*.

8 MAI 1973.

X

RONDS DE FICELLE

J'ai rêvé cette nuit que, quand je venais ici, il n'y avait personne.

C'est où se confirme le caractère de vœu du rêve. Malgré que j'étais assez outré, que cela ne doive servir à rien, puisque je me souvenais aussi dans mon rêve que j'avais travaillé jusqu'à quatre heures et demie du matin, c'était quand même la satisfaction d'un vœu, à savoir que dès lors, je n'avais plus qu'à me les rouler.

1

Je vais dire – c'est ma fonction – je vais dire une fois de plus – parce que je me répète – ce qui est de mon dire, et qui s'énonce – *il n'y a pas de métalangage.*

Quand je dis ça, ça veut dire, apparemment – pas de langage de l'être. Mais y a-t-il l'être ? Comme je l'ai fait remarquer la dernière fois, ce que je dis, c'est ce qu'il n'y a pas. L'être est, comme on dit, et le non-être n'est pas. Il y a, ou il n'y a pas. Cet être, on ne fait que le supposer à certains mots – individu par exemple, ou substance. Pour moi, ce n'est qu'un fait de dit.

Le mot *sujet* que j'emploie prend dès lors un accent différent.

Je me distingue du langage de l'être. Cela implique qu'il puisse y avoir fiction de mot – je veux dire, à partir du mot. Et comme peut-être certains s'en souviennent, c'est de là que je suis parti quand j'ai parlé de l'éthique.

Ce n'est pas parce que j'ai écrit des choses qui font fonction de formes du langage que j'assure pour autant l'être du
métalangage. Car, cet être il faudrait que je le présente
comme subsistant par soi, par soi tout seul, comme le langage de l'être.

La formalisation mathématique est notre but, notre
idéal. Pourquoi ? – parce que seule elle est mathème,
c'est-à-dire capable de se transmettre intégralement. La
formalisation mathématique, c'est de l'écrit, mais qui ne
subsiste que si j'emploie à le présenter la langue dont
j'use. C'est là qu'est l'objection – nulle formalisation de
la langue n'est transmissible sans l'usage de la langue
elle-même. C'est par mon dire que cette formalisation,
idéal métalangage, je la fais ex-sister. C'est ainsi que le
symbolique ne se confond pas, loin de là, avec l'être, mais
qu'il subsiste comme ex-sistence du dire. C'est ce que j'ai
souligné, dans le texte dit *L'Étourdit,* de dire que le symbolique ne supporte que l'ex-sistence.

En quoi ? C'est une des choses essentielles que j'ai dites
la dernière fois – l'analyse se distingue entre tout ce qui a
été produit jusqu'alors du discours, de ce qu'elle énonce
ceci, qui est l'os de mon enseignement, que je parle sans
le savoir. Je parle avec mon corps, et ceci sans le savoir. Je
dis donc toujours plus que je n'en sais.

C'est là que j'arrive au sens du mot *sujet* dans le discours analytique. Ce qui parle sans le savoir me fait *je,*
sujet du verbe. Ça ne suffit pas à me faire être. Ça n'a rien
à faire avec ce que je suis forcé de mettre dans l'être –
suffisamment de savoir pour se tenir, mais pas une goutte
de plus.

C'est ce que, jusqu'alors, on a appelé la forme. Dans
Platon, la forme, c'est ce savoir qui remplit l'être. La
forme n'en sait pas plus qu'elle ne dit. Elle est réelle, en
ce sens qu'elle tient l'être dans sa coupe, mais à ras bord.
Elle est le savoir de l'être. Le discours de l'être suppose
que l'être soit, et c'est ce qui le tient.

Il y a du rapport d'être qui ne peut pas se savoir. C'est lui dont, dans mon enseignement, j'interroge la structure, en tant que ce savoir – je viens de le dire – impossible est par là interdit. C'est ici que je joue de l'équivoque – ce savoir impossible est censuré, défendu, mais il ne l'est pas si vous écrivez convenablement *l'inter-dit,* il est dit entre les mots, entre les lignes. Il s'agit de dénoncer à quelle sorte de réel il nous permet l'accès.

Il s'agit de montrer où va sa mise en forme, ce métalangage qui n'est pas, et que je fais ex-sister. Sur ce qui ne peut être démontré, quelque chose pourtant peut être dit de vrai. C'est ainsi que s'ouvre cette sorte de vérité, la seule qui nous soit accessible, et qui porte, par exemple, sur le non-savoir-faire.

Je ne sais pas comment m'y prendre, pourquoi pas le dire, avec la vérité – pas plus qu'avec la femme. J'ai dit que l'une et l'autre, au moins pour l'homme, c'était la même chose. Ça fait le même embarras. Il se trouve cet accident que j'ai du goût aussi bien pour l'une que pour l'autre, malgré tout ce qu'on en dit.

Cette discordance du savoir et de l'être, c'est ce qui est notre sujet. Ça n'empêche pas que l'on peut dire aussi qu'il n'y en a pas, de discordance, quant à ce qui mène le jeu, selon mon titre de cette année, *encore.* C'est l'insuffisance du savoir par quoi nous sommes encore pris. Et c'est par là que ce jeu d'*encore* se mène – non pas qu'à en savoir plus il nous mènerait mieux, mais peut-être y aurait-il meilleure jouissance, accord de la jouissance et de sa fin.

Or, la fin de la jouissance – c'est ce que nous enseigne tout ce qu'articule Freud de ce qu'il appelle inconsidérément pulsions partielles – la fin de la jouissance est à côté de ce à quoi elle aboutit, c'est à savoir que nous nous reproduisions.

Le *je* n'est pas un être, c'est un supposé à ce qui parle. Ce qui parle n'a à faire qu'avec la solitude, sur le point du rapport que je ne puis définir qu'à dire comme je l'ai fait qu'il ne peut pas s'écrire. Cette solitude, elle, de rupture du savoir, non seulement elle peut s'écrire, mais elle est même ce qui s'écrit par excellence, car elle est ce qui d'une rupture de l'être laisse trace.

C'est ce que j'ai dit dans un texte, certes non sans imperfections, que j'ai appelé *Lituraterre. La nuée du langage* – me suis-je exprimé métaphoriquement – *fait écriture.* Qui sait si le fait que nous pouvons lire ces ruisseaux que je regardais sur la Sibérie comme trace métaphorique de l'écriture n'est pas lié – *lier* et *lire,* c'est les mêmes lettres, faites-y attention – à quelque chose qui va au-delà de l'effet de pluie, dont il n'y a aucune chance que l'animal le lise comme tel ? Bien plutôt est-il lié à cette forme d'idéalisme que je voudrais vous faire entrer dans la tête – non pas certes celui que professe Berkeley, à vivre dans un temps où le sujet avait pris son indépendance, non pas celui qui tient que tout ce que nous connaissons soit représentation, mais bien plutôt cet idéalisme qui ressortit à l'impossible d'inscrire la relation sexuelle entre deux corps de sexe différent.

C'est par là que se fait l'ouverture par quoi c'est le monde qui vient à nous faire son partenaire. C'est le corps parlant en tant qu'il ne peut réussir à se reproduire que grâce à un malentendu de sa jouissance. C'est dire qu'il ne se reproduit que grâce à un ratage de ce qu'il veut dire, car ce qu'il veut dire – à savoir, comme le dit bien le français, son sens – c'est sa jouissance effective. Et c'est à la rater qu'il se reproduit – c'est-à-dire à baiser.

C'est justement ça qu'il ne veut pas faire, en fin de compte. La preuve, c'est que, quand on le laisse tout seul, il sublime tout le temps à tour de bras, il voit la Beauté, le Bien – sans compter le Vrai, et c'est encore là, comme je viens de vous le dire, qu'il est le plus près de ce dont il s'agit. Mais ce qui est vrai, c'est que le partenaire de l'autre sexe reste l'Autre. C'est donc à rater sa jouissance qu'il réussit à être encore reproduit sans rien savoir de ce qui le reproduit. Et notamment – cela est dans Freud parfaitement sensible, bien sûr ce n'est qu'un bafouillage, mais nous ne pouvons pas faire mieux – il ne sait pas si ce qui le reproduit, c'est la vie ou la mort.

Il me faut pourtant dire ce qu'il y a de métalangage, et en quoi il se confond avec la trace laissée par le langage. Car c'est par là que le sujet fait retour à la révélation du corrélat de la langue, qui est ce savoir en plus de l'être, et pour lui sa petite chance d'aller à l'Autre, à son être, dont j'ai fait remarquer la dernière fois – c'est le second point essentiel – qu'il ne veut rien savoir. Passion de l'ignorance.

C'est bien pour ça que les deux autres passions sont celles qui s'appellent l'amour – qui n'a rien à faire, contrairement à ce que la philosophie a élucubré, avec le savoir – et la haine, qui est bien ce qui s'approche le plus de l'être, que j'appelle l'ex-sister. Rien ne concentre plus de haine que ce dire où se situe l'ex-sistence.

L'écriture donc est une trace où se lit un effet de langage. C'est ce qui se passe quand vous gribouillez quelque chose.

Moi aussi je ne m'en prive certes pas, puisque c'est avec ça que je prépare ce que j'ai à dire. Il est remarquable qu'il faille, de l'écriture, s'assurer. Ce n'est pourtant pas le métalangage, quoiqu'on puisse lui faire remplir une fonction qui y ressemble. Cet effet n'en reste pas moins second au regard de l'Autre où le langage s'inscrit comme vérité. Car rien de ce que je pourrais au tableau vous écrire des formules générales qui lient, au point où nous en sommes, l'énergie à la matière, par exemple les dernières formules d'Einstein, rien ne tiendra de tout ça, si je ne le soutiens pas d'un dire qui est celui de la langue, et d'une pratique qui est celle de gens qui donnent des ordres au nom d'un certain savoir.

Je reprends. Quand vous gribouillez et moi aussi, c'est toujours sur une page et c'est avec des lignes, et nous voilà plongés tout de suite dans l'histoire des dimensions.

2

Ce qui coupe une ligne, c'est le point. Comme le point a zéro dimension, la ligne sera définie d'en avoir une. Comme ce que coupe la ligne, c'est une surface, la surface sera définie d'en avoir deux. Comme ce que coupe la surface c'est l'espace, l'espace en aura trois.

C'est là que prend sa valeur le petit signe que j'ai écrit au tableau.

Ça a tous les caractères d'une écriture, ça pourrait être une lettre. Seulement, comme vous écrivez cursivement, il ne vous vient pas à l'idée d'arrêter la ligne avant qu'elle en rencontre une autre, pour la faire passer dessous, ou plutôt pour la supposer passer dessous, parce que dans l'écriture il s'agit de tout autre chose que de l'espace à trois dimensions.

Figure I

Sur cette figure, lorsqu'une ligne est coupée par une autre, ça veut dire qu'elle passe sous elle. Ce qui se produit ici, à ceci près qu'il n'y a qu'une ligne. Mais quoiqu'il n'y en ait qu'une seule, ça se distingue d'un simple rond, car cette écriture vous représente la mise-à-plat d'un nœud. Ainsi cette ligne, cette ficelle, est bien autre chose que la ligne que nous avons définie tout à l'heure au regard de l'espace comme une coupure et qui fait un trou, c'est-à-dire sépare un intérieur et un extérieur.

Cette ligne nouvelle ne s'incarne pas si facilement dans l'espace. La preuve, c'est que la ficelle idéale, la plus simple, ça serait un tore. Et on a mis très longtemps à s'apercevoir, grâce à la topologie, que ce qui s'enferme dans un tore n'a absolument rien à voir avec ce qui s'enferme dans une bulle.

Quoi que vous fassiez avec la surface d'un tore, vous ne ferez pas un nœud. Mais par contre, avec le lieu du tore, comme ceci vous le démontre, vous pouvez faire un nœud. C'est en quoi, permettez-moi de vous le dire, le tore c'est la raison, puisque c'est ce qui permet le nœud.

C'est bien en quoi ce que je vous montre maintenant, qui est un tore tortillé, est l'image, aussi sec que je peux vous la donner, de ce que j'ai évoqué l'autre jour comme la trinité, une et trois d'un seul jet.

Figure 2

Il n'en reste pas moins que c'est à en refaire trois tores, par le petit truc que je vous ai déjà montré sous le nom de nœud borroméen, que nous allons pouvoir opérer sur le premier nœud. Naturellement, il y en a qui n'étaient pas là quand j'ai parlé, l'année dernière, vers février, du nœud borroméen. Nous allons tâcher aujourd'hui de vous faire sentir l'importance de cette histoire, et en quoi elle a affaire à l'écriture, pour autant que je l'ai définie comme ce que laisse de trace le langage.

Avec le nœud borroméen, nous avons à faire avec ce qui ne se voit nulle part, à savoir un vrai rond de ficelle. Figurez-vous que, quand on trace une ficelle, on n'arrive jamais à ce que sa trame joigne ses deux bouts. Pour que vous ayez un rond de ficelle, il faut que vous fassiez un nœud, nœud marin de préférence. Faisons avec notre ficelle ce nœud marin.

Voilà. Grâce au nœud marin, nous avons là, vous le voyez, un rond de ficelle. Nous allons en faire deux autres. Le problème alors posé par le nœud borroméen est celui-ci – comment faire, quand vous avez fait vos ronds de ficelle, pour que ces trois ronds de ficelle tiennent ensemble, et de façon telle que, si vous en coupez un, tous les trois soient libres ?

Trois, ce n'est rien encore. Car le vrai problème, le problème général, c'est de faire qu'avec un nombre quelconque de ronds de ficelle, quand vous en coupez un, tous les autres sans exception soient libres, indépendants.

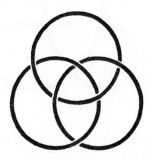

Figure 3

Voici le nœud borroméen – je l'ai déjà, l'année dernière, mis au tableau. Il vous est facile de voir que deux ronds de ficelle ne sont pas noués l'un à l'autre, et que c'est uniquement par le troisième qu'ils se tiennent.

Faites bien attention ici – ne restez pas captivés par cette image. Je vais vous montrer un autre moyen de résoudre le problème.

Voilà un rond de ficelle. En voilà un autre. Vous passez le second rond dans le premier, et vous le pliez. *Figure 4*.

Il suffira dès lors que dans un troisième rond vous preniez le second pour que les trois soient noués – noués de telle sorte qu'il suffit bien que vous en sectionniez un pour que les deux autres soient libres. *Figure 5*.

Après le premier pliage, vous pourriez avec le troisième rond faire un pliage nouveau, et le prendre dans un quatrième. Avec quatre comme avec trois, il suffit de couper un des nœuds pour que tous les autres soient libres.

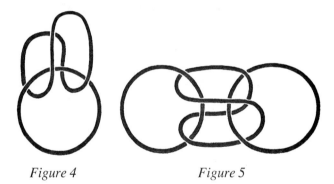

Figure 4   *Figure 5*

Vous pouvez en mettre un nombre absolument infini, ce sera toujours vrai. La solution est donc absolument générale, et l'enfilade aussi longue que vous voudrez.

Dans cette chaîne, quelle qu'en soit la longueur, un premier et un dernier se distinguent des autres chaînons – alors que les ronds médians, repliés, ont tous, comme vous le voyez sur la figure 4, forme d'oreilles, les extrêmes, eux, sont ronds simples.

Rien ne nous empêche de confondre le premier et le dernier, en repliant l'un et le prenant dans l'autre. La chaîne dès lors se ferme. *Figure 6*.

Figure 6

La résorption en un des deux extrêmes laisse pourtant une trace – dans la chaîne des médians, les brins sont affrontés deux à deux, alors que, là où elle se boucle sur le rond simple, unique maintenant, quatre brins sont de chaque côté affrontés à un, celui du cercle.

Cette trace peut certes être effacée – vous obtenez alors une chaîne homogène de ronds pliés.

3

Pourquoi ai-je fait intervenir dans l'ancien temps le nœud borroméen ? C'était pour traduire la formule *je te demande* – quoi ? – *de refuser* – quoi ? – *ce que je t'offre* – pourquoi ? – *parce que ce n'est pas ça* – *ça*, vous savez ce que c'est, c'est l'objet *a*. L'objet *a* n'est aucun être. L'objet *a*, c'est ce que suppose de vide une demande, dont ce n'est qu'à la situer par la métonymie, c'est-à-dire par la pure continuité assurée du commencement à la fin de la phrase, que nous pouvons imaginer ce qu'il peut en être d'un désir qu'aucun être ne supporte. Un désir sans autre substance que celle qui s'assure des nœuds mêmes.

Énonçant cette phrase, *je te demande de refuser ce que je t'offre,* je n'ai pu la motiver que de ce *ce n'est pas ça* que j'ai repris la dernière fois.

Ce n'est pas ça veut dire que, dans le désir de toute demande, il n'y a que la requête de l'objet *a,* de l'objet qui viendrait satisfaire la jouissance – laquelle serait alors la *Lustbefriedigung* supposée dans ce qu'on appelle improprement dans le discours psychanalytique la pulsion génitale, celle où s'inscrirait un rapport qui serait le rapport plein, inscriptible, de l'un avec ce qui reste irréductiblement l'Autre. J'ai insisté sur ceci, que le partenaire de *ce je* qui est le sujet, sujet de toute phrase de demande, est non pas l'Autre, mais ce qui vient se substituer à lui sous la forme de la cause du désir – que j'ai diversifié en quatre, en tant qu'elle se constitue diversement, selon la découverte freudienne, de l'objet de la succion, de l'objet de l'excrétion, du regard et de la voix. C'est en tant que substituts de l'Autre, que ces objets sont réclamés, et sont faits cause du désir.

Il semble que le sujet se représente les objets inanimés en fonction de ceci qu'il n'y a pas de relation sexuelle. Il n'y a que les corps parlants, ai-je dit, qui se font une idée du monde comme tel. Le monde, le monde de l'être plein de savoir, ce n'est qu'un rêve, un rêve du corps en tant qu'il parle, car il n'y a pas de sujet connaissant. Il y a des sujets qui se donnent des corrélats dans l'objet *a,* corrélats de parole jouissante en tant que jouissance de parole. Que coince-t-elle d'autre que d'autres Uns ?

Je vous l'ai fait remarquer tout à l'heure, la bilobulation, la transformation par pliage du rond de ficelle en deux oreilles peut se faire de façon strictement symétrique. C'est même ce qui se passe dès qu'on arrive au niveau de quatre.

Eh bien ! de même, la réciprocité entre le sujet et l'objet *a* est totale.

Pour tout être parlant, la cause de son désir est strictement, quant à la structure, équivalente, si je puis dire, à sa pliure, c'est-à-dire à ce que j'ai appelé sa division de sujet. C'est ce qui nous explique que, si longtemps, le sujet a pu croire que le monde en savait autant que lui. Le monde est symétrique du sujet, le monde de ce que j'ai appelé la dernière fois la pensée est l'équivalent, l'image miroir, de la pensée. C'est bien pourquoi il n'y a rien eu que fantasme quant à la connaissance jusqu'à l'avènement de la science la plus moderne.

Ce fonctionnement en miroir est bien ce qui a permis cette échelle des êtres qui supposait dans un être, dit être suprême, le bien de tous. Ce qui est aussi bien l'équivalent de ceci, que l'objet *a* peut être dit, comme son nom l'indique, *a*-sexué. L'Autre ne se présente pour le sujet que sous une forme *a*-sexuée. Tout ce qui a été le support, le support-substitut, le substitut de l'Autre sous la forme de l'objet de désir, est *a*-sexué.

C'est en quoi l'Autre comme tel reste – non sans que nous puissions y avancer un peu plus – reste dans la théorie freudienne un problème, celui qui s'est exprimé dans la question que répétait Freud – *Que veut la femme ?* –, la femme étant dans l'occasion l'équivalent de la vérité. C'est en quoi cette équivalence que j'ai produite est justifiée.

Est-ce que ça vous éclaire sur l'intérêt qu'il y a à partir du rond de ficelle ? Le dit rond est certainement la plus éminente représentation de l'Un, en ce sens qu'il n'enferme qu'un trou. C'est d'ailleurs en quoi un vrai rond de ficelle est très difficile à fabriquer. Le rond de ficelle dont j'use est même mythique puisqu'on ne fabrique pas de rond de ficelle fermé.

Mais encore, qu'en faire, de ce nœud borroméen ? Je vous réponds qu'il peut nous servir à nous représenter cette métaphore si répandue pour exprimer ce qui distingue l'usage du langage – la chaîne précisément.

Remarquons que, contrairement aux ronds de ficelle, des éléments de chaîne, ça se forge. Il n'est pas très difficile d'imaginer comment – on tord du métal jusqu'au moment où on arrive à le souder. Sans doute n'est-ce pas un support simple, car, pour qu'il puisse représenter adéquatement l'usage du langage, il faudrait dans cette chaîne faire des chaînons qui iraient s'accrocher à un autre chaînon un peu plus loin avec deux ou trois chaînons flottants intermédiaires. Il faudrait aussi comprendre pourquoi une phrase a une durée limitée. Cela, la métaphore ne peut pas nous le donner.

Voulez-vous un exemple qui vous montre à quoi peut servir cette enfilade de nœuds pliés qui redeviennent indépendants pour peu qu'on en coupe un seul ? Il n'est pas très difficile d'en trouver un, et, pas pour rien, dans la psychose. Souvenez-vous de ce qui peuple hallucinatoirement la solitude de Schreber – *Nun will ich mich...* maintenant je vais me... Ou encore – *Sie sollen nämlich...* vous devez quant à vous... Ces phrases interrompues, que j'ai appelées messages de code, laissent en suspens je ne sais quelle substance. On perçoit là l'exigence d'une phrase, quelle qu'elle soit, qui soit telle qu'un de ses chaînons, de manquer, libère tous les autres, soit leur retire le Un.

N'est-ce pas là le meilleur support que nous puissions donner de ce par quoi procède le langage mathématique ?

Le propre du langage mathématique, une fois qu'il est suffisamment repéré quant à ses exigences de pure démonstration, est que tout ce qui s'en avance, non pas tant dans le commentaire parlé que dans le maniement même des lettres, suppose qu'il suffit qu'une ne tienne pas pour que toutes les autres non seulement ne constituent rien de valable par leur agencement, mais se dispersent. C'est en quoi le nœud borroméen est la meilleure métaphore de ceci, que nous ne procédons que de l'Un.

L'Un engendre la science. Non pas au sens de l'un de la mesure. Ce n'est pas ce qui se mesure dans la science, contrairement à ce qu'on croit, qui est l'important. Ce qui distingue la science moderne de la science antique, laquelle se fonde de la réciprocité entre le νοῦς et le monde, entre ce qui pense et ce qui est pensé, c'est justement la fonction de l'Un. De l'Un, en tant qu'il n'est là, pouvons-nous supposer, que pour représenter la solitude – le fait que l'Un ne se noue véritablement avec rien de ce qui semble à l'Autre sexuel. Tout au contraire de la chaîne, dont les Uns sont tous faits de la même façon, de n'être rien d'autre que de l'Un.

Quand j'ai dit – *Y a d' l'Un,* quand j'y ai insisté, quand j'ai vraiment piétiné ça comme un éléphant pendant toute l'année dernière, vous voyez ce à quoi je vous introduisais.

Comment situer dès lors la fonction de l'Autre ? Comment, si, jusqu'à un certain point, c'est simplement des nœuds de l'Un que se supporte ce qui reste de tout langage quand il s'écrit, comment poser une différence ? Car il est clair que l'Autre ne s'additionne pas à l'Un. L'Autre seulement s'en différencie. S'il y a quelque chose par quoi il participe à l'Un, ce n'est pas de s'additionner. Car l'Autre – comme je l'ai dit déjà, mais il n'est pas sûr que vous l'ayez entendu – c'est l'Un-en-moins.

C'est pour ça que, dans tout rapport de l'homme avec une femme – celle qui est en cause –, c'est sous l'angle de l'Une-en-moins qu'elle doit être prise. Je vous avais déjà indiqué ça à propos de Don Juan, mais, bien entendu, il n'y a qu'une seule personne qui s'en soit aperçue, ma fille nommément.

4

Il ne suffit pas d'avoir trouvé une solution générale au problème des nœuds borroméens pour un nombre infini de nœuds borroméens. Il faudrait que nous ayons le moyen de montrer que c'est la seule solution.

Or, nous en sommes à ceci que, jusqu'à ce jour, il n'y a aucune théorie des nœuds. Aux nœuds ne s'applique jusqu'à ce jour aucune formalisation mathématique qui permette, en dehors de quelques petites fabrications telles que celles que je vous ai montrées, de prévoir qu'une solution comme celle que je viens de donner n'est pas simplement ex-sistente, mais nécessaire, qu'elle ne cesse pas – comme je définis le nécessaire – de s'écrire. Je vais vous le montrer tout de suite. Il suffit que je vous fasse ça.

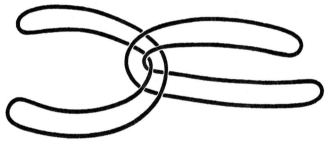

Figure 7

Je viens de faire passer deux de ces ronds l'un dans l'autre d'une façon telle qu'ils font ici, non pas du tout ce repliage que je vous ai montré tout à l'heure, mais simplement un nœud marin. Vous voyez tout de suite que, sans difficulté aucune, je peux, d'un côté ou de l'autre, poursuivre l'opération en faisant autant de nœuds marins que je veux, avec tous les ronds de ficelle du monde.

Je peux ici encore fermer la chaîne, enlever donc à ses éléments la séparabilité qu'ils ont jusqu'alors conservée. Je passe un troisième rond conjoignant les deux bouts de la chaîne.

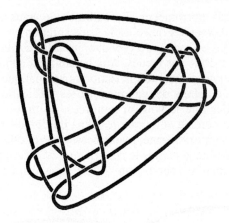

Figure 8

Voilà sans aucun doute une solution tout aussi valable que la première. Le nœud jouit de la propriété borro-méenne – que je sectionne l'un quelconque des ronds que j'aurai ainsi agencés, tous les autres du même coup seront libres.

Aucun des ronds n'est ici d'un type différent des autres. Il n'y a aucun point privilégié, et la chaîne est strictement homogène. Vous sentez bien qu'il n'y a aucune analogie topologique entre les deux façons de nouer des ronds de ficelle que je vous ai montrées. Il y a ici, avec les nœuds marins, une topologie que nous pourrions dire de torsion par rapport à la précédente, qui serait simplement de flexion. Mais il ne serait pas contradictoire de prendre les ronds pliés dans un nœud marin.

Dès lors, vous voyez que la question se pose de savoir comment mettre une limite aux solutions du problème borroméen. Je laisse la question ouverte.

Il s'agit pour nous, vous l'avez compris, d'obtenir le modèle de la formalisation mathématique. La formalisa-tion n'est rien d'autre que la substitution à un nombre quelconque d'uns, de ce qu'on appelle une lettre. Car, que vous écriviez que l'inertie, c'est $\frac{mv^2}{2}$, qu'est-ce que ça veut dire ? – sinon que, quel que soit le nombre d'uns que vous mettiez sous chacune de ces lettres, vous êtes soumis à un certain nombre de lois, lois de groupe, addition, multiplication, etc.

Voilà les questions que j'ouvre, qui sont faites pour vous annoncer ce que j'espère pouvoir vous transmettre concernant ce qui s'écrit.

Ce qui s'écrit, en somme, qu'est-ce que ça serait ? Les conditions de la jouissance. Et ce qui se compte, qu'est-ce que ça serait ? Les résidus de la jouissance. Car cet a-sexué, n'est-ce pas à le conjoindre avec ce qu'elle a de plus-de-jouir, étant l'Autre – ne pouvant être dite qu'Autre –, que la femme l'offre à l'homme sous l'espèce de l'objet *a* ?

L'homme croit créer – il croit-croit-croit, il créé-créé-crée. Il crée-crée-crée la femme. En réalité, il la met au travail, et au travail de l'Un. Et c'est bien en quoi cet Autre, cet Autre pour autant que s'y inscrit l'articulation du langage, c'est-à-dire la vérité, l'Autre doit être barré, barré de ceci que j'ai qualifié tout à l'heure de l'un-en-moins. Le S(Ⱥ) c'est cela que ça veut dire. C'est en quoi nous en arrivons à poser la question de faire de l'Un quelque chose qui se tienne, c'est-à-dire qui se compte sans être.

La mathématisation seule atteint à un réel – et c'est en quoi elle est compatible avec notre discours, le discours analytique – un réel qui n'a rien à faire avec ce que la connaissance traditionnelle a supporté, et qui n'est pas ce qu'elle croit, réalité, mais bien fantasme.

Le réel, dirai-je, c'est le mystère du corps parlant, c'est le mystère de l'inconscient.

15 MAI 1973.

RÉPONSES

Je transcris ici les réponses de Jacques Lacan à quelques questions que je lui posai lors de l'établissement du texte de cette leçon. (J. A. M.)

Il est remarquable qu'une figure aussi simple que celle du nœud borroméen n'ait pas servi de départ à – une topologie.

Il y a en effet plusieurs façons d'aborder l'espace.

La capture par la notion de dimension, c'est-à-dire par la coupure, est la caractérologie d'une technique de la scie. Elle va à se réfléchir sur la notion du point, dont c'est tout dire que c'est qualifier de l'un ce qui a, on le dit en clair, zéro dimension, c'est-à-dire ce qui n'existe pas.

A partir au contraire de ronds de ficelle, il en résulte un coinçage, de ce que ce soit le croisement de deux continuités qui en arrête une troisième. Ne sent-on pas que ce coinçage pourrait constituer le phénomène de départ d'une topologie ?

C'est là un phénomène qui a pour lui de n'être en nul point localisable. Considérez seulement le nœud borroméen – il saute aux yeux qu'on peut numéroter trois endroits, ce mot entre guillemets, où les ronds qui font nœud peuvent venir se coincer.

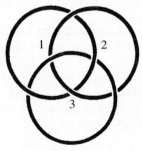

Figure 9

Ceci suppose dans chaque cas que les deux autres endroits viennent s'y résumer. Est-ce à dire qu'il *n'y en a* qu'un ? Certainement pas. Un point triple, quoique l'expression s'emploie, ne saurait en aucune façon satisfaire à la notion de point. Ce point n'est pas fait ici de la convergence de trois lignes. Ne serait-ce que du fait qu'il y en a deux différents – un droit et un gauche.

Je suis surpris, quant à moi, qu'il paraisse bien admis que nous ne saurions, par un message dit informatif, faire parvenir au sujet supposé par le langage la notion de droite et de gauche. On reconnaît certes que leur distinction, nous pouvons certainement la communiquer, mais à partir de là, comment les spécifier ? Ça me paraît, contrairement à une certaine argumentation, tout à fait possible, et justement par la dictée d'une mise-à-plat, laquelle est tout à fait concevable à partir de l'expérience du nœud, si le nœud est bien, comme je le pense, un fait logique.

La mise-à-plat, remarquez-le, est autre chose que la surface.

Elle suppose une tout autre dit-mension que la continuité implicite à l'espace. Et c'est bien pourquoi j'use de cette écriture du mot qui consiste à en désigner la mension du dit. Ce que seule la langue que je parle permet, – mais ce n'est pas fait pour que, moi, je m'en prive en tant que je parle. Bien au contraire, vu ce que j'en pense – si j'ose dire.

Autrement dit, l'important n'est pas qu'il y ait trois dimensions dans l'espace. L'important est le nœud borroméen, et ce pour quoi nous accédons au réel qu'il nous représente.

L'illusion que nous ne saurions rien transmettre à des êtres transplanétaires sur la spécificité de la droite et de la gauche m'a toujours semblé heureuse en tant qu'elle fonde la distinction de l'imaginaire et du symbolique.

Mais la droite et la gauche n'ont rien à faire avec ce que nous en appréhendons esthétiquement, ce qui veut dire –

dans la relation que fonde notre corps, – de ses *deux* côtés apparents.

Ce que *démontre* le nœud borroméen, ce n'est pas qu'il soit fait d'un rond de ficelle dont il suffise qu'un autre rond s'en replie telles deux oreilles, pour qu'un troisième, nouant ses deux boucles, ne puisse du fait du premier rond s'en déboucler, – c'est que de ces trois ronds n'importe lesquels peuvent fonctionner comme premier et dernier, le troisième y fonctionnant dès lors comme médian, c'est-à-dire comme oreilles repliées – voir les figures 4 et 5.

A partir de là, se déduit que, quel que soit le nombre de médians, c'est-à-dire de doubles oreilles, n'importe lesquels de ces médians peuvent fonctionner comme premier et dernier, les autres les couplant de leur infinité d'oreilles.

Lesquelles oreilles sont dès lors faites, non d'un affrontement 1-2, 2-1, mais, dans l'intervalle de ces deux-là, d'un affrontement 2-2 répété autant de fois qu'il y a de ronds moins trois, soit le nombre de ronds du nœud borroméen.

Néanmoins, il est clair que le lien privilégié du premier rond au second et de l'avant-dernier au dernier continuant à valoir, l'introduction du premier et du dernier dans le chaînon central y entraîne de singuliers enchevêtrements.

On peut, à s'en dispenser, retrouver pourtant la disposition initiale.

Les nœuds dans leur complication sont bien faits pour nous faire relativer les prétendues trois dimensions de l'espace, seulement fondées sur la traduction que nous faisons de notre corps en un volume de solide.

Non qu'il n'y prête anatomiquement. Mais c'est bien là toute la question de la révision nécessaire – à savoir, de ce pourquoi il prend cette forme – apparemment, c'est-à-dire pour notre regard.

J'indique ici par où pourrait entrer la mathématique du coinçage, c'est-à-dire du nœud.

Prenons un cube et décomposons-le en huit, 2³, petits cubes, empilés régulièrement, chacun ayant le côté moitié du cube premier.

Retirons les deux petits cubes choisis d'avoir pour sommets deux des sommets diamétralement opposés du grand cube.

Il y a dès lors deux façons, et deux seulement, d'accoler par une face commune les six petits cubes restants.

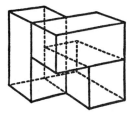 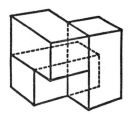

Figures 10 et 11

Ces deux façons définissent deux dispositions différentes de coupler trois axes pleins selon, disons, les trois directions de l'espace, que distinguent justement les coordonnées cartésiennes.

 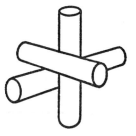

Figures 12 et 13

Pour chacun de ces trois axes, les deux cubes vides, soit extraits en premier, permettent de définir de façon univoque l'inflexion que nous pouvons leur imposer.

Elle est celle qu'exige le coinçage dans le nœud borroméen.

Mais il y a plus. Nous pouvons exiger la chute du privi lège que constitue l'existence du premier et du dernier cercle – n'importe lesquels pouvant jouer ce rôle – dans le nœud borroméen, soit : que ce premier et ce dernier dans ledit nœud soient constitués d'un reploiement de même structure que le chaînon central – autrement dit que le lien 2-2 y soit univoque. C'est la figure 8.

L'inextricable qui en résulte pour toute tentative de mise-à-plat contrastera heureusement avec l'élégance de l'à-plat de la présentation originale. Et pourtant, vous constaterez que rien n'est plus facile que d'y isoler à nouveau deux ronds, dans la même position dite du premier et du dernier dans le nœud original. Cette fois n'importe lesquels y satisfaisant de façon absolue, puisque est disparu le privilège qui, je le disais, complique si fort la disposition des chaînons intermédiaires quand il s'agit du nœud borroméen original, mais porté à un nombre de plus de quatre.

Ces chaînons en effet dans ce cas ne sont plus faits du repliement simple d'un rond, celui que nous imagions de deux oreilles, mais d'un repliement tel que 4 brins du chaînon connexe sont saisis par les ronds que nous avons isolés des termes de premier et dernier, mais non de façon équivalente, l'un de ces deux les prenant simplement, l'autre, de ce fait définissable comme différent, enserrant ces 4 brins d'une double boucle.

Partout, dans le chaînon central, les 4 brins permettant un certain nombre d'entrecroisements typiques et susceptibles de variations.

Bref ces chaînons sont d'une longueur quatre fois moindre que celle des ronds extrêmes.

J'en conclus que l'espace n'est pas intuitif. Il est mathématicien – ce que tout le monde peut lire de l'histoire de la mathématique elle-même.

Ceci veut dire que l'espace sait compter, pas beaucoup plus loin que nous – et pour cause –, puisque ce n'est que jusqu'à six, pas même sept. C'est bien pour cela que Yahvé s'est distingué de sa férule de la semaine.

Bien sûr que le chiffrage populaire chiffre jusqu'à 10, mais c'est parce qu'il compte sur les doigts. Il a dû depuis en rabattre, avec le 0, c'est-à-dire qu'il a tort – il ne faut compter sur rien qui soit du corps apparent, ni de la motricité animale. L'amusant est que la science ne s'en soit d'abord détachée qu'au prix d'un système 6×10, soit sexagésimal – voir les Babyloniens.

Pour revenir à l'espace, il semble bien faire partie de l'inconscient – structuré comme un langage.

Et s'il compte jusqu'à six, c'est parce qu'il ne peut retrouver le deux que par le trois de la révélation.

Un mot encore – il ne faut rien inventer. Voilà ce que nous enseigne la révélation de l'inconscient. Mais rien à faire – c'est l'invention qui nous démange. Puisque ce qu'il faut, c'est nous détourner du réel, et de ce que signifie la présence du nombre.

Un mot pour finir. On a pu remarquer que l'homogénéisation des chaînons *extrêmes* n'est pas la même chose que leur raccordement bout à bout, lequel singulièrement n'a pas plus d'effet sur la chaîne que de les laisser indépendants, au nombre près de chaînons qu'il réduit d'un.

Quel résultat donc attendre de la chaîne originale à trois chaînons, quand aussi on y opère ? Sa réduction à deux chaînons dont il est clair que leur rupture résultera assurément de la section d'un quelconque.

Mais quel va être leur enroulement ?

Figure 14

Il sera celui d'un anneau simple et d'un huit intérieur,
celui dont nous symbolisons le sujet – permettant dès lors
de reconnaître dans l'anneau simple, qui d'ailleurs s'inter-
vertit avec le huit, le signe de l'objet *a* – soit de la cause
par quoi le sujet s'identifie à son désir.

22 OCTOBRE 1973.

XI

LE RAT DANS LE LABYRINTHE

Le langage est une élucubration de savoir sur lalangue.
L'unité du corps.
L'hypothèse lacanienne.
L'amour,
de la contingence à la nécessité.

Grâce à quelqu'un qui veut bien brosser ce que je vous raconte, j'ai eu, il y a quatre ou cinq jours, la truffe brossée dans mes élocutions de cette année.

Sous ce titre d'*Encore*, je n'étais pas sûr, je l'avoue, d'être toujours dans le champ que j'ai déblayé pendant vingt ans, puisque ce que ça disait, c'était que ça pouvait durer encore longtemps. A relire la première transcription de ce Séminaire, j'ai trouvé que c'était pas si mal, et spécialement d'être parti de cette formule qui me paraissait un peu mince, que la jouissance de l'Autre n'est pas le signe de l'amour. C'était un départ, sur lequel je pourrais peut-être revenir aujourd'hui, en fermant ce que j'ouvrais alors.

J'ai quelque peu parlé de l'amour. Mais le point-pivot, la clé de ce que j'ai avancé cette année, concerne ce qu'il en est du savoir, dont j'ai accentué que l'exercice ne pouvait représenter qu'une jouissance. Et c'est à quoi je voudrais aujourd'hui contribuer par une réflexion sur ce qui se fait de tâtonnant dans le discours scientifique au regard de ce qui peut se produire de savoir.

1

Je vais droit à ce dont il s'agit – le savoir, c'est une énigme.

Cette énigme nous est présentifiée par l'inconscient tel qu'il s'est révélé par le discours analytique. Elle s'énonce ainsi – pour l'être parlant, le savoir est ce qui s'articule. On aurait pu s'en apercevoir depuis un bon bout de temps, puisqu'à tracer les chemins du savoir on ne faisait rien qu'articuler des choses et, pendant longtemps, les centrer sur l'être. Or, il est évident que rien n'est, sinon dans la mesure où ça se dit que ça est.

S_2, j'appelle ça. Il faut savoir l'entendre – est-ce bien *d'eux* que ça parle ? Il est généralement énoncé que le langage sert à la communication. Communication à propos de quoi, faut-il se demander, à propos de quels *eux* ? La communication implique la référence. Seulement, une chose est claire, le langage n'est que ce qu'élabore le discours scientifique pour rendre compte de ce que j'appelle lalangue.

Lalangue sert à de toutes autres choses qu'à la communication. C'est ce que l'expérience de l'inconscient nous a montré, en tant qu'il est fait de lalangue, cette lalangue dont vous savez que je l'écris en un seul mot, pour désigner ce qui est notre affaire à chacun, lalangue dite maternelle, et pas pour rien dite ainsi.

Si la communication se rapproche de ce qui s'exerce effectivement dans la jouissance de lalangue, c'est qu'elle implique la réplique, autrement dit le dialogue. Mais lalangue sert-elle d'abord au dialogue ? Comme je l'ai autrefois articulé, rien n'est moins sûr.

Je viens d'avoir sous la main un livre important d'un nommé Bateson dont on m'avait rebattu les oreilles, assez pour m'agacer un peu. Il faut dire que ça me venait de quelqu'un qui avait été touché de la grâce d'un certain texte de moi qu'il avait traduit dans sa langue en y ajoutant quelques commentaires, et qui avait cru trouver dans le Bateson en question quelque chose qui allait sensiblement plus loin que *l'inconscient structuré comme un langage.*

Or, de l'inconscient, Bateson, faute de savoir qu'il est structuré comme un langage, n'a en fait qu'une assez médiocre idée. Mais il forge de très jolis artifices, qu'il appelle des *métalogues.* C'est pas mal, pour autant que ces métalogues comporteraient, s'il faut l'en croire, quelque progrès interne, dialectique, de ne se produire que d'interroger l'évolution du sens d'un terme. Comme il s'est toujours fait dans tout ce qui s'est intitulé dialogue, il s'agit de faire dire par l'interlocuteur supposé ce qui motive la question même du locuteur, c'est-à-dire d'incarner dans l'autre la réponse qui est déjà là. C'est en quoi le dialogue, le dialogue classique, dont le plus bel exemple est représenté par le legs platonicien, se démontre n'être pas un dialogue.

Si j'ai dit que le langage est ce comme quoi l'inconscient est structuré, c'est bien parce que le langage, d'abord, ça n'existe pas. Le langage est ce qu'on essaye de savoir concernant la fonction de lalangue.

Certes, c'est ainsi que le discours scientifique lui-même l'aborde, à ceci près qu'il lui est difficile de le réaliser pleinement, car il méconnaît l'inconscient. L'inconscient est le témoignage d'un savoir en tant que pour une grande part il échappe à l'être parlant. Cet être donne l'occasion de s'apercevoir jusqu'où vont les effets de lalangue, par ceci, qu'il présente toutes sortes d'affects qui restent énigmatiques. Ces affects sont ce qui résulte de la présence de lalangue en tant que, de savoir, elle articule des choses qui vont beaucoup plus loin que ce que l'être parlant supporte de savoir énoncé.

Le langage sans doute est fait de lalangue. C'est une élucubration de savoir sur lalangue. Mais l'inconscient est un savoir, un savoir-faire avec lalangue. Et ce qu'on sait

faire avec lalangue dépasse de beaucoup ce dont on peut
rendre compte au titre du langage.

Lalangue nous affecte d'abord par tout ce qu'elle comporte comme effets qui sont affects. Si l'on peut dire que
l'inconscient est structuré comme un langage, c'est en
ceci que les effets de lalangue, déjà là comme savoir, vont
bien au-delà de tout ce que l'être qui parle est susceptible
d'énoncer.

C'est en cela que l'inconscient, en tant qu'ici je le supporte de son déchiffrage, ne peut que se structurer comme
un langage, un langage toujours hypothétique au regard de
ce qui le soutient, à savoir lalangue. Lalangue, c'est ce qui
m'a permis tout à l'heure de faire de mon S_2 une question,
et de demander – est-ce bien *d'eux* qu'il s'agit dans le langage ?

Autrement dit, que le langage n'est pas seulement communication, ce fait s'impose de par le discours analytique.
A le méconnaître, il a surgi, dans les bas-fonds de la
science, cette grimace qui consiste à interroger comment
l'être peut savoir quoi que ce soit. Ce sera aujourd'hui le
pivot de ma question sur le savoir.

2

Comment l'être peut-il savoir ? Il est comique de voir
comment cette interrogation prétend à se satisfaire.
Puisque la limite, comme je l'ai posée, est faite de ce qu'il
y a des êtres qui parlent, on se demande ce que peut bien
être le savoir de ceux qui ne parlent pas. On se le
demande. On ne sait pas pourquoi on se le demande. Mais
on se le demande quand même, et on fait pour des rats un
petit labyrinthe.

On espère ainsi être sur le chemin de ce que c'est qu'un
savoir. On croit que le rat va montrer quelle capacité il a
pour apprendre. *A-prendre* à quoi ? – à ce qui l'intéresse,

bien sûr. Et qu'est-ce qu'on suppose qui l'intéresse, ce rat ?

On ne le prend pas, ce rat, comme être, mais bel et bien comme corps, ce qui suppose qu'on le voit comme unité, comme unité ratière. Or, cet être du rat, qu'est-ce qui le soutient donc ? On ne se le demande absolument pas. Ou plutôt, on identifie son être et son corps.

Depuis toujours, on s'imaginait que l'être devait contenir une sorte de plénitude qui lui soit propre. L'être, c'est un corps. C'est de là que, dans le premier abord de l'être, on était parti, et on en avait élucubré toute une hiérarchie des corps. On était parti en somme de cette notion que chacun devait bien savoir ce qui le maintenait à l'être, et que ce devait être son bien, soit ce qui lui faisait plaisir.

Quel changement s'est-il donc fait dans le discours, pour que tout d'un coup on interroge cet être sur le moyen qu'il aurait de se dépasser, c'est-à-dire d'en apprendre plus qu'il n'en a besoin dans son être pour survivre comme corps ?

Le labyrinthe n'aboutit pas seulement à la nourriture, mais à un bouton ou un clapet, dont il faut que le sujet supposé de cet être trouve le truc pour accéder à sa nourriture. Ou encore, il s'agit de la reconnaissance d'un trait, trait lumineux ou trait de couleur, auquel l'être est susceptible de réagir. Ce qui importe, c'est qu'on transforme la question du savoir en celle d'un apprendre. Si, après une série d'essais et erreurs – *trials and errors* on a laissé la chose en anglais, vu ceux qui se sont trouvés frayer cette voie concernant le savoir – le taux en diminue assez, on enregistre que l'unité ratière est capable d'apprendre quelque chose.

La question qui n'est posée que secondairement, et qui est celle qui m'intéresse, c'est de savoir si l'unité ratière va apprendre à apprendre. C'est là que gît le vrai ressort de l'expérience. Une fois qu'il a subi une de ces épreuves, un rat, mis en présence d'une épreuve du même ordre, apprendra-t-il plus vite ? Ce qui se matérialise aisément par une décroissance du nombre d'essais nécessaires pour qu'il sache comment il a à se comporter dans un tel montage – appelons montage l'ensemble du labyrinthe et des clapets et boutons qui fonctionnent à cette occasion.

La question a été si peu posée, quoiqu'elle l'ait été, qu'on n'a même pas songé à interroger la différence qu'il y a selon que le thème qu'on propose au rat pour démontrer ses facultés d'apprendre surgit de la même source ou de deux sources différentes, selon que celui qui apprend au rat à apprendre est ou non le même expérimentateur. Or, cet expérimentateur, c'est lui qui, dans cette affaire, sait quelque chose, et c'est avec ce qu'il sait qu'il invente le montage du labyrinthe, des boutons et des clapets. S'il n'était pas quelqu'un pour qui le rapport au savoir est fondé sur un rapport à lalangue, sur l'habitation de lalangue, ou la cohabitation avec, il n'y aurait pas ce montage.

Tout ce que l'unité ratière apprend en cette occasion, c'est à donner un signe, un signe de sa présence d'unité. Le clapet n'est reconnu que par un signe et l'appui de la patte sur ce signe est un signe. C'est toujours en faisant signe, que l'unité accède à ce dont on conclut qu'il y a apprentissage. Mais ce rapport aux signes est d'extériorité. Rien ne confirme qu'il puisse y avoir chez le rat saisie du mécanisme à quoi aboutit la poussée sur le bouton. C'est pourquoi le seul point qui compte, ce serait de savoir si l'expérimentateur constate que, non seulement le rat a trouvé le truc, mais qu'il a appris la façon dont un mécanisme, ça se prend, qu'il a appris ce qui est *à-prendre*. L'expérience du labyrinthe, si nous tenons compte de ce qu'il en est du savoir inconscient, ne peut pas manquer d'être interrogée sur le point de savoir comment l'unité ratière répond à ce qui, par l'expérimentateur, n'a pas été cogité à partir de rien, mais à partir de lalangue.

On n'invente pas n'importe quelle composition labyrinthique, et que ça sorte du même expérimentateur ou de

deux expérimentateurs différents, ça mérite d'être interrogé. Mais rien de ce que j'ai pu cueillir jusqu'à présent
de cette littérature n'indique que ce soit dans ce sens que
la question ait été posée.

Cet exemple laisse donc entièrement intactes, et dis-
tinctes, la question de ce qu'il en est du savoir et la question de ce qu'il en est de l'apprentissage. Ce qu'il en est
du savoir pose une autre question, et nommément de comment ça s'enseigne.

3

C'est de la notion d'un savoir qui se transmet, qui se
transmet intégralement, que s'est produit dans le savoir ce
tamisage grâce à quoi un discours qui s'appelle le scientifique s'est constitué.

Il s'est constitué non sans de nombreuses mésaventures.
Hypothèses non fingo, croit pouvoir dire Newton, *je ne
suppose rien.* C'est au contraire sur une hypothèse que la
fameuse révolution, qui n'est point du tout copernicienne
mais newtonienne, a joué – substituant au *ça tourne* un *ça
tombe.* L'hypothèse newtonienne est d'avoir posé que le
ça tourne astral, c'est la même chose que tomber. Mais
pour le constater, ce qui permet d'éliminer l'hypothèse, il
a bien fallu que d'abord il la fasse, cette hypothèse.

Pour introduire un discours scientifique concernant le
savoir, il faut interroger le savoir là où il est. Ce savoir, en
tant que c'est dans le gîte de lalangue qu'il repose, veut
dire l'inconscient. L'inconscient, je n'y entre, pas plus que
Newton, sans hypothèse.

Mon hypothèse, c'est que l'individu qui est affecté de
l'inconscient est le même qui fait ce que j'appelle le sujet
d'un signifiant. Ce que j'énonce dans cette formule mini-
male qu'un signifiant représente un sujet pour un autre
signifiant. Le signifiant en lui-même n'est rien d'autre de

définissable qu'une différence avec un autre signifiant. C'est l'introduction de la différence comme telle dans le champ, qui permet d'extraire de lalangue ce qu'il en est du signifiant.

Autrement dit, je réduis l'hypothèse, selon la formule même qui la substantifie, à ceci qu'elle est nécessaire au fonctionnement de lalangue. Dire qu'il y a un sujet, ce n'est rien d'autre que dire qu'il y a hypothèse. La seule preuve que nous ayons que le sujet se confonde avec cette hypothèse et que ce soit l'individu parlant qui le supporte, c'est que le signifiant devient signe.

C'est parce qu'il y a l'inconscient, à savoir lalangue en tant que c'est de cohabitation avec elle que se définit un être appelé l'être parlant, que le signifiant peut être appelé à faire signe. Entendez ce *signe* comme il vous plaira, y compris comme le *thing* de l'anglais, la chose.

Le signifiant est signe d'un sujet. En tant que support formel, le signifiant atteint un autre que ce qu'il est tout crûment, lui, comme signifiant, un autre qu'il affecte et qui en est fait sujet, ou du moins qui passe pour l'être. C'est en cela que le sujet se trouve être, et seulement pour l'être parlant, un étant dont l'être est toujours ailleurs, comme le montre le prédicat. Le sujet n'est jamais que ponctuel et évanouissant, car il n'est sujet que par un signifiant, et pour un autre signifiant.

C'est ici que nous devons revenir à Aristote. Par un choix dont on ne sait ce qui l'a guidé, Aristote a pris le parti de ne donner d'autre définition de l'individu que le corps – le corps en tant qu'organisme, ce qui se maintient comme un, et non pas ce qui se reproduit. La différence entre l'idée platonicienne et la définition aristotélicienne de l'individu comme fondant l'être, nous sommes encore autour. La question qui se pose au biologiste est bien de savoir comment un corps se reproduit. Ce dont il s'agit dans toute tentative de chimie dite moléculaire, est de saisir comment il se fait que par la combinaison d'un certain nombre de choses dans un bain unique, quelque chose se précipite, et qu'une bactérie par exemple se reproduise.

Le corps, qu'est-ce donc ? Est-ce ou n'est-ce pas le savoir de l'un ?

Le savoir de l'un se révèle ne pas venir du corps. Le savoir de l'un pour le peu que nous en puissions dire, vient du signifiant Un. Le signifiant Un vient-il de ce que le signifiant comme tel ne soit jamais que l'*un-entre-autres* référé à ces autres, n'étant que la différence d'avec les autres ? La question est si peu résolue jusqu'à présent que j'ai fait tout mon séminaire de l'année dernière pour mettre l'accent sur ce *Y a d'l'Un*.

Qu'est-ce que veut dire *Y a d'l'Un* ? Du *un-entre-autres*, et il s'agit de savoir si c'est quel qu'il soit, se lève un S_1, un *essaim* signifiant, un essaim bourdonnant. Ce S_1 de chaque signifiant, si je pose la question *est-ce d'eux que je parle ?* je l'écrirai d'abord de sa relation avec S_2. Et vous pourrez en mettre autant que vous voudrez. C'est l'essaim dont je parle.

$$S_1 \quad (S_1 \quad (S_1 \quad (S_1 \longrightarrow S_2)))$$

L'S_1, l'*essaim*, signifiant-maître, est ce qui assure l'unité, l'unité de la copulation du sujet avec le savoir. C'est dans lalangue, et pas ailleurs, en tant qu'elle est interrogée comme langage, que se dégage l'existence de ce qu'une linguistique primitive a désigné du terme de στοιχεῖον, élément, et ce n'est pas pour rien. Le signifiant Un n'est pas un signifiant quelconque. Il est l'ordre signifiant en tant qu'il s'instaure de l'enveloppement par où toute la chaîne subsiste.

J'ai lu récemment un travail d'une personne qui s'interroge de la relation du S_1 avec le S_2, qu'elle prend pour une relation de représentation. Le S_1 serait en relation avec le S_2 pour autant qu'il représente un sujet. La question de savoir si cette relation est symétrique, antisymétrique, transitive ou autre, si le sujet se transfère du S_2 à un S_3 et ainsi de suite, cette question est à reprendre à partir du schème que je redonne ici.

Le Un incarné dans lalangue est quelque chose qui reste indécis entre le phonème, le mot, la phrase, voire toute la pensée. C'est ce dont il s'agit dans ce que j'appelle signifiant-maître. C'est le signifiant Un, et ce n'est pas pour rien qu'à l'avant-dernière de nos rencontres j'ai amené ici pour l'illustrer le bout de ficelle, en tant qu'il fait ce rond, dont j'ai commencé d'interroger le nœud possible avec un autre.

Sur ce point, je n'irai pas plus loin aujourd'hui, puisque nous avons été privés d'un séminaire pour cause d'examens dans cette Faculté.

4

Pour faire tourner ici le volet, je dirai que l'important de ce qu'a révélé le discours psychanalytique consiste en ceci, dont on s'étonne qu'on ne voie pas la fibre partout, c'est que le savoir, qui structure d'une cohabitation spécifique l'être qui parle, a le plus grand rapport avec l'amour. Tout amour se supporte d'un certain rapport entre deux savoirs inconscients.

Si j'ai énoncé que le transfert, c'est le sujet supposé savoir qui le motive, ce n'est qu'application particulière, spécifiée, de ce qui est là d'expérience. Je vous prie de vous rapporter au texte de ce que, au milieu de cette année, j'ai énoncé ici sur le choix de l'amour. J'ai parlé en somme de la reconnaissance, de la reconnaissance, à des signes toujours ponctués énigmatiquement, de la façon dont l'être est affecté en tant que sujet du savoir inconscient.

Il n'y a pas de rapport sexuel parce que la jouissance de l'Autre prise comme corps est toujours inadéquate – perverse d'un côté, en tant que l'Autre se réduit à l'objet *a* – et de l'autre, je dirai folle, énigmatique. N'est-ce pas de l'affrontement à cette impasse, à cette impossibilité d'où se définit un réel, qu'est mis à l'épreuve l'amour ? Du partenaire, l'amour ne peut réaliser que ce que j'ai appelé par une sorte de poésie, pour me faire entendre, le courage, au regard de ce destin fatal. Mais est-ce bien de courage qu'il s'agit ou des chemins d'une reconnaissance ? Cette reconnaissance n'est rien d'autre que la façon dont le rapport dit sexuel – devenu là rapport de sujet à sujet, sujet en tant qu'il n'est que l'effet du savoir inconscient – cesse de ne pas s'écrire.

Cesser de ne pas s'écrire, ce n'est pas là formule avancée au hasard. Je l'ai référée à la contingence, tandis que je me suis complu au nécessaire comme à ce qui *ne cesse pas de s'écrire,* car le nécessaire n'est pas le réel. Relevons au passage que le déplacement de cette négation nous pose la question de ce qu'il en est de la négation quand elle vient prendre la place d'une inexistence. D'autre part, j'ai défini le rapport sexuel comme ce qui *ne cesse pas de ne pas s'écrire.* Il y a là impossibilité. C'est aussi bien que rien ne peut le dire – il n'y a pas, dans le dire, d'existence du rapport sexuel. Mais que veut dire de le nier ? Est-il légitime d'aucune façon de substituer une négation à l'appréhension éprouvée de l'inexistence ? C'est là aussi une question qu'il ne s'agit pour moi que d'amorcer. Le mot *interdiction* veut-il dire plus, est-il davantage permis ? C'est ce qui, non plus, ne saurait dans l'immédiat être tranché.

La contingence, je l'ai incarnée du *cesse de ne pas s'écrire.* Car il n'y a là rien d'autre que rencontre, la rencontre chez le partenaire des symptômes, des affects, de tout ce qui chez chacun marque la trace de son exil, non comme sujet mais comme parlant, de son exil du rapport sexuel. N'est-ce pas dire que c'est seulement par l'affect qui résulte de cette béance que quelque chose se rencontre, qui peut varier infiniment quant au niveau du savoir, mais qui, un instant, donne l'illusion que le rapport sexuel cesse de ne pas s'écrire ? – illusion que quelque chose non seulement s'articule mais s'inscrit, s'inscrit dans la destinée de chacun, par quoi, pendant un temps, un temps de suspension, ce qui serait le rapport sexuel trouve chez l'être qui parle sa trace et sa voie de mirage. Le déplacement de la négation, du *cesse de ne pas s'écrire* au *ne cesse pas de s'écrire*, de la contingence à la nécessité, c'est là le point de suspension à quoi s'attache tout amour.

Tout amour, de ne subsister que du *cesse de ne pas s'écrire*, tend à faire passer la négation au *ne cesse pas de s'écrire*, ne cesse pas, ne cessera pas.

Tel est le substitut qui – par la voie de l'existence, non pas du rapport sexuel, mais de l'inconscient, qui en diffère – fait la destinée et aussi le drame de l'amour.

Vu l'heure où nous sommes arrivés, qui est celle où normalement je désire prendre congé, je ne pousserai pas ici les choses plus loin – j'indiquerai seulement que ce que j'ai dit de la haine ne relève pas du plan dont s'articule la prise du savoir inconscient.

Il ne se peut pas que le sujet ne désire pas ne pas trop en savoir sur ce qu'il en est de cette rencontre éminemment contingente avec l'autre. Aussi, de l'autre va-t-il à l'être qui y est pris.

Le rapport de l'être à l'être n'est pas ce rapport d'harmonie que depuis toujours, on ne sait trop pourquoi, nous arrange une tradition où Aristote, qui n'y voit que jouissance suprême, converge avec le christianisme, pour lequel c'est béatitude. C'est là s'empêtrer dans une appréhension de mirage. L'être comme tel, c'est l'amour qui vient à y aborder dans la rencontre.

L'abord de l'être par l'amour, n'est-ce pas là que surgit ce qui fait de l'être ce qui ne se soutient que de se rater ?

J'ai parlé de rat tout à l'heure – c'était de ça qu'il s'agissait. Ce n'est pas pour rien qu'on a choisi le rat. C'est parce qu'on en fait facilement une unité – le rat, ça se rature. J'ai déjà vu ça dans un temps où j'avais un concierge, quand j'habitais rue de la Pompe – le rat, il ne le ratait jamais. Il avait pour le rat une haine égale à l'être du rat.

L'abord de l'être, n'est-ce pas là que réside l'extrême de l'amour, la vraie amour ? Et la vraie amour – assurément ce n'est pas l'expérience analytique qui a fait cette découverte, dont la modulation éternelle des thèmes sur l'amour porte suffisamment le reflet – la vraie amour débouche sur la haine.

Voilà, je vous quitte.

Est-ce que je vous dis à l'année prochaine ? Vous remarquerez que je ne vous ai jamais jamais dit ça. Pour une très simple raison – c'est que je n'ai jamais su, depuis vingt ans, si je continuerais l'année prochaine. Ça, ça fait partie de mon destin d'objet *a*.

Après dix ans, on m'avait en somme retiré la parole. Il se trouve que, pour des raisons dans lesquelles il y avait une part de destin, une part d'inclination aussi à faire plaisir à quelques-uns, j'ai continué pendant dix ans encore. De ces vingt ans j'ai donc bouclé le cycle. Est-ce que je continuerai l'année prochaine ? Pourquoi pas arrêter là l'*encore* ?

Ce qu'il y a d'admirable, c'est que personne n'a jamais douté que je continuerais. Que je fasse cette remarque en pose pourtant la question. Il se pourrait après tout qu'à l'*encore* j'adjoigne un *c'est assez*.

Ma foi, je vous laisse la chose à votre pari. Il y en a beaucoup qui croient me connaître et qui pensent que je trouve là-dedans une infinie satisfaction. A côté de la peine que ça me donne, je dois dire que ça me paraît peu de chose. Faites donc vos paris.

Et quel sera le résultat ? Est-ce que ça voudra dire que ceux qui auront deviné juste, ceux-là m'aiment ? Eh bien – c'est justement le sens de ce que je viens de vous énoncer aujourd'hui – savoir ce que le partenaire va faire, ce n'est pas une preuve de l'amour.

26 JUIN 1973.

TABLE

RÉALISATION : PAO ÉDITIONS DU SEUIL
IMPRESSION : BUSSIÈRE CAMEDAN IMPRIMERIES À SAINT-AMAND (CHER)
DÉPÔT LÉGAL : OCTOBRE 1999. N° 38577 (992852/1)